Chère lectrice,

Avez-vous déjà rêvé qu'une seconde chance vous soit offerte ? Une chance de tout recommencer, de changer votre destin...

Lorsque Marina, la merveilleuse héroïne du roman *Le fils secret du cheikh* (de Trish Morey, Azur n°3444), retrouve Bahir, l'homme qui lui a cruellement brisé le cœur, elle comprend qu'elle vit un de ces moments, si précieux, où tout peut basculer. Elle qui a déjà tant souffert, doit-elle lui fermer son cœur à jamais, ou tout risquer pour croire encore à leur amour ? Un amour si fort et si pur, que lui seul peut triompher du passé et leur offrir cette nouvelle chance de bonheur à laquelle nous voulons toutes croire.

Je suis sûre que, comme moi, vous serez bouleversée par ce roman fort, balayé par le souffle chaud du désert.

Je vous souhaite un très bon mois de lecture.

La responsable de collection

Pour l'amour d'Ana

MAISEY YATES

Pour l'amour d'Ana

collection *Azur*

éditions **H HARLEQUIN**

Collection : Azur

Cet ouvrage a été publié en langue anglaise
sous le titre :
HER LITTLE WHITE LIE

Traduction française de
FRANÇOISE RIGAL

HARLEQUIN®
est une marque déposée par le Groupe Harlequin
Azur® est une marque déposée par Harlequin S.A.

ÉDITIONS HARLEQUIN
83-85, boulevard Vincent Auriol, 75646 PARIS CEDEX 13.
Service Lectrices — Tél. : 01 45 82 47 47
www.harlequin.fr
ISBN 978-2-2803-0641-6 — ISSN 0993-4448

1.

— Expliquez-vous ou prenez vos affaires et partez !

Tétanisée sur son siège, Paige Harper leva la tête et croisa le regard furibond de son patron. Sa présence ici, dans son bureau, suffisait à lui couper le souffle. De loin, l'homme était séduisant, mais, de près il était franchement fascinant. Néanmoins, elle parvint à reporter son attention sur le journal qu'il venait de jeter sur son bureau et son cœur fit une embardée.

— Oh ! souffla-t-elle en ramassant le journal. Oh…

— Seriez-vous devenue muette ?

— Oh…

— Mademoiselle Harper, j'ai dit « expliquez-vous », or, « oh » n'est pas une explication recevable.

— Eh bien, balbutia-t-elle en scrutant le journal, ouvert à la rubrique people, je…

« Dante Romani passe la bague au doigt de l'une de ses employées », proclamait la manchette. Sous le titre, deux photos : l'une de Dante, l'air totalement inaccessible dans son impeccable costume sur mesure, et l'autre d'elle, perchée sur une échelle dans une vitrine de chez Colson, occupée à suspendre des cheveux d'ange au plafond pour les fêtes de Noël.

— Je…, bredouilla-t-elle de nouveau, tout en parcourant l'article.

Dante Romani, le célèbre jeune loup à la tête de l'empire des grands magasins Colson, qui a récemment

défrayé la chronique en licenciant sans ménagement
l'un de ses plus anciens collaborateurs, père de famille,
pour le remplacer par un homme plus jeune et sans
attaches, vient de se fiancer à l'une de ses employées.
On peut se demander si jouer avec ses subordonnés
— en s'en séparant ou en les épousant sur un coup de
tête — n'est pas devenu le passe-temps favori de cet
homme d'affaires des plus controversés...

Horrifiée, Paige porta la main à sa gorge. Comment cette histoire avait-elle pu arriver aux oreilles des journalistes ? Mais c'était bien là, imprimé, noir sur blanc. Le plus grand mensonge du siècle lui explosait au visage en caractères gras.

— « Je » quoi ? lança son patron. Allez-vous vous expliquer, à la fin ?

— J'ai menti, avoua-t-elle.

Dante Romani survola des yeux les piles d'échantillons de tissus, les perles débordant de leurs boîtes, les aérosols de neige artificielle et de peinture et les accessoires de Noël qui encombraient son bureau, puis la regarda et lâcha, avec un sourire sarcastique :

— A la réflexion, inutile de faire vos paquets, contentez-vous de prendre la porte. Je vous ferai livrer vos affaires en exprès.

— Attendez… !

Non, il était impensable qu'elle soit licenciée. Paige avait besoin de ce travail. De plus, il ne fallait surtout pas que les services d'aide à l'enfance apprennent qu'elle avait menti durant l'entretien d'adoption.

Accablée, elle se replongea dans la lecture de l'article.

Difficile d'imaginer qu'un homme qui vient de
licencier un cadre supérieur au motif qu'il était plus
dévoué à sa famille qu'au sacro-saint dollar se marie
et devienne lui-même père de famille. Une question se
pose : cette jeune femme banale sera-t-elle capable de
faire changer l'impitoyable P.-D.G. ? Ou bien viendra-

t-elle rejoindre la longue liste des victimes que Dante Romani traîne dans son sillage ?

Une « jeune femme banale ». Eh oui, c'était l'histoire de sa vie. Même dans cette histoire mensongère qui la fiançait au milliardaire le plus sexy de la ville, elle apparaissait comme quelconque.

— Qu'espériez-vous obtenir avec cette fable ? lâcha Dante en posant sur elle son regard dur et glacial. Vous avez lancé cette rumeur pour vous amuser, sans imaginer qu'elle se répandrait comme une traînée de poudre ?

Elle se leva, les genoux tremblants.

— Non, simplement, je…

— Vous êtes peut-être trop insignifiante pour intéresser les médias, mais tel n'est pas mon cas.

— Hé ! s'exclama-t-elle, piquée.

— Vous aurais-je offensée ? renchérit-il d'un ton sec.

— Un peu.

— Je peux vous assurer que cette réflexion est moins vexante que de découvrir que vous êtes fiancé à une femme avec qui vous avez à peine échangé deux mots.

— Vous savez, pour moi aussi, c'est une catastrophe. Je ne m'attendais pas à ce que mon mensonge soit publié !

— Eh bien, on dirait que vous avez manqué de discernement. Mieux vaudrait partir d'ici sans esclandre. Je n'ai aucune envie d'appeler la sécurité.

— Monsieur Romani, s'il vous plaît, écoutez-moi…, implora-t-elle, comme il lui tournait le dos pour se diriger vers la porte.

— Je ne demande pas mieux, mais vous n'avez rien d'intéressant à dire.

— Parce que je ne sais pas par où commencer.

— Tant qu'à faire, par le début.

Prenant son courage à deux mains, Paige prit une profonde inspiration.

— J'essaye d'adopter un enfant.

— Je l'ignorais.

— Ma fille est gardée à la crèche de l'entreprise.

— Je ne mets jamais les pieds à la crèche.

— Ana est encore un bébé. Elle vit avec moi depuis sa naissance. Je… Sa mère était ma meilleure amie, elle est morte et c'est moi qui m'occupe de sa fille, expliqua-t-elle, la gorge nouée, car penser à Shyla la bouleversait. Malheureusement, rien n'a été réglé avant que… Bref, la petite se retrouve pupille de l'Etat.

— Ce qui signifie ?

— Que c'est l'Administration qui a la haute main sur son placement. On m'a donné l'agrément pour lui servir de mère d'accueil, mais… pas obligatoirement pour l'adopter. Alors, j'ai fait une demande et, il y a deux jours, j'ai rencontré Rebecca Addler, l'assistante sociale chargée de son dossier, qui ne voit pas d'un très bon œil les mères célibataires. Quand elle a insinué qu'Ana serait mieux dans une famille traditionnelle qu'avec moi, j'ai lâché sans réfléchir que la petite aurait bientôt un père, car j'allais me marier. Et c'est votre nom qui a jailli, parce que… Eh bien, parce que je travaille pour vous et que je le vois écrit partout. Mais cela n'était pas dirigé contre vous, vous devez me croire…

Paige reprit son inspiration tout en réfléchissant à un meilleur angle d'attaque.

En réalité, cette bévue avait tout à voir avec le fait que son patron était plus beau qu'il n'était permis et que, travaillant dans le même bâtiment que lui, elle croisait sans cesse cet homme à la séduction renversante.

Oui, il lui arrivait de penser à Dante Romani en dehors des heures de bureau, mais comment l'en blâmer ? Dante était le plus bel homme qu'elle ait jamais rencontré et sa vie sentimentale se résumait en ce moment à une interminable traversée du désert. Quoi d'étonnant à ce qu'elle passe de délicieux instants à fantasmer sur son patron ?

Résultat : quand Rebecca Addler avait voulu savoir qui était son fiancé, le seul homme qui lui soit venu à l'esprit avait été Dante, et elle avait laissé échapper son nom.

— Ravi de l'apprendre, dit-il, ironique.

Accablée, Paige se prit le front à deux mains :

— Je ne pourrai jamais réussir à m'expliquer, soupira-t-elle. C'est très embarrassant pour vous, je sais, mais… comment réparer mon erreur ? Jamais cette histoire n'aurait dû se retrouver dans le journal. Si on apprend que nous ne sommes pas fiancés, si les services sociaux découvrent que j'ai menti…

— Vous passerez pour une mère célibataire doublée d'une menteuse, ce qui, à mon avis, constitue deux fautes majeures, asséna-t-il avec une froideur et une indifférence qui la glacèrent.

— Exactement.

Son patron avait raison. Ces fautes graves pouvaient la disqualifier pour l'adoption. Un risque inacceptable, alors que le destin d'Ana était en jeu. Ana, la lumière de sa vie. Sa petite fille sans défense, le bébé qu'elle chérissait plus que sa propre existence…

— Je… Je vais avoir besoin de votre aide, hasarda-t-elle. Croyez-vous que… vous puissiez m'épouser ?

Dante demeura impassible, comme à son habitude. Il était le prince noir de l'empire Colson, le fils adoptif de Don et Mary Colson, qui, d'après les médias, ne l'avaient choisi qu'à cause de sa brillante intelligence — nul ne pouvait imaginer que son caractère ait pu séduire le vieux couple.

Paige, qui avait toujours trouvé ces allégations injustes, commençait à s'interroger. Son patron était-il aussi insensible qu'on le prétendait ? Pourvu que non ! Parce qu'il fallait qu'il compatisse à son sort pour l'aider à se tirer d'affaire.

— Je ne suis pas en position de vous aider, répondit-il d'un ton sec.

Elle insista.

— Pourquoi ? Qu'est-ce qui vous en empêche ? Je… Ce ne serait que provisoire. J'ai simplement besoin…

— Inutile de me faire un dessin. Vous avez besoin que

11

je vous épouse. Mais pour faire ça il faudrait être fou à lier, vous ne pensez pas ?

— C'est pour ma fille, s'écria-t-elle avec tant de fougue que les mots résonnèrent dans la pièce.

Elle y était allée un peu fort, reconnut-elle. Tant pis ! Pour Ana, elle était prête à tout. Même à affronter son patron.

— Cette enfant n'est pas votre fille, fit-il remarquer.

Paige serra les dents pour s'empêcher de trembler.

— Les liens du sang ne font pas tout, objecta-t-elle. J'aurais cru que vous pourriez le comprendre.

Ce n'était probablement pas une bonne idée de l'attaquer bille en tête, mais c'était la vérité. Plus qu'un autre, il aurait dû comprendre.

— Je ne vais pas vous congédier, conclut-il, après l'avoir dévisagée un moment. Pas tout de suite. Mais j'exige davantage d'explications. Des explications cohérentes. Quel est votre programme de la journée ?

— Je prépare les fêtes de Noël, répondit-elle en montrant les décorations éparpillées dans la pièce.

— Vous restez au bureau ?

— Oui, ma journée est plutôt tranquille.

— Ne partez pas avant que nous ayons discuté, ordonnat-il en lui tournant le dos.

Dès qu'il fut sorti, Paige s'effondra à genoux, les mains tremblantes, le corps crispé et douloureux.

Mon Dieu, quelle idiote ! Comme d'habitude, elle avait parlé sans réfléchir. Seulement, cette fois, elle s'était fourrée dans une situation impossible, qui plus est avec l'homme qui payait son salaire. A présent, son patron tenait sa vie entière entre ses mains…

Dante termina la dernière tâche inscrite sur son agenda, puis s'accouda sur son bureau et fixa le journal étalé devant lui.

C'était la énième fois qu'il relisait l'article. Un papier injurieux insinuant que l'héritier illégitime de la famille Colson manœuvrait les individus comme des pions sur un échiquier. Il était très documenté sur Carl Johnson, le cadre qu'il avait licencié, la semaine précédente, pour avoir préféré assister au match de base-ball d'un de ses enfants plutôt qu'à une importante réunion de travail.

Ce qui n'avait rien d'étonnant puisque l'homme s'était répandu dans la presse en hurlant à la discrimination. Dante ne voyait pas en quoi le fait d'attendre d'un employé qu'il assiste aux réunions obligatoires était discriminatoire, et pourtant, les journalistes ne s'étaient pas gênés pour monter cette affaire en épingle afin de mettre en doute ses qualités humaines.

D'ordinaire, il traitait ces attaques par le mépris, mais, aujourd'hui, il était interpellé par une question que posait l'article : « Cette jeune femme banale sera-t-elle capable de faire changer l'impitoyable P.-D.G. ? »

S'il n'éprouvait aucune envie de changer, en revanche, il pouvait se révéler intéressant d'améliorer son image. Une image que les médias avaient créée de toutes pièces dès qu'il était apparu dans la lumière des projecteurs. Celle d'un garçon adopté tardivement et suspecté d'être une graine de délinquant au comportement violent.

Son histoire avait été exposée au public avant même qu'il ait eu une chance de la vivre. Jusqu'ici, il n'avait jamais réagi aux critiques, ne s'en était jamais préoccupé. Et voilà qu'on lui offrait le moyen de changer les choses.

Paige Harper pourrait-elle me faire changer ? se demanda-t-il, songeur. L'idée était risible, d'autant qu'il la connaissait à peine. Il n'empêche qu'il l'avait remarquée. Comment faire autrement ? Quand la jeune femme se déplaçait dans les bureaux, on aurait dit un tourbillon étincelant, vibrant d'énergie…

Il aurait menti en prétendant que Paige ne l'intriguait pas. Elle était une fenêtre ouverte sur un monde qu'il s'interdisait. Un monde d'éclat et de couleurs qui lui était étranger. En plus, elle possédait une silhouette à damner un saint…

Pensif, Dante fit pivoter son fauteuil vers la fenêtre et contempla le port, au loin. Il revoyait l'expression de Paige, la peur intense et le désespoir qui assombrissaient ses yeux bleus. Il avait beau être imperméable aux émotions et aux sentiments, il n'arrivait ni à oublier la jeune femme ni à se désintéresser de son bébé.

Car, s'il n'avait que faire des enfants et n'en désirait pas, il se souvenait trop bien d'en avoir été un lui-même. Un enfant à la merci d'adultes plus prodigues de coups que d'amour, avant d'être ballotté durant huit ans de foyer en foyer, soumis au bon vouloir de l'Administration.

Pouvait-il imposer le même destin à la petite Ana ?

En même temps, en quoi son destin le concernait-il ?

Soudain, la porte de son bureau s'ouvrit sur Paige, qui entra d'un pas aérien. Non, ce n'était pas le mot juste. Aérien impliquait trop de légèreté, de délicatesse, alors que la jeune femme avait tout d'une tornade.

Elle portait à l'épaule une énorme besace dorée, assortie à des chaussures à paillettes qui la grandissaient de dix bons centimètres. Sous l'autre bras, elle serrait un rouleau de tissu et un énorme carnet de croquis, chargement bancal qui menaçait à tout instant de dégringoler.

Quand elle se pencha en avant pour jeter son fourbi sur une chaise, sa jupe se tendit sur des rondeurs de rêve ; puis elle se redressa brusquement et repoussa ses cheveux bruns en arrière, révélant une mèche rose vif.

Pas de doute, Paige brillait de partout. En particulier à cause de son maquillage flashy : fard à paupières vert pomme, magenta sur les lèvres et vernis à ongles rouge vif. L'effet produit était si captivant qu'il avait peine à détacher ses yeux d'elle.

— Vous m'avez demandé de passer vous voir, avant de partir ? lança-t-elle.

Dante se força à détourner son regard pour le poser sur les affaires qu'elle avait jetées en vrac sur la chaise.

— Oui, répondit-il, pris d'une furieuse envie de mettre de l'ordre dans tout ce fouillis.

— Alors vous avez pris une décision, concernant mon licenciement ?

— Pas encore. J'ai besoin que vous m'expliquiez votre situation plus en détail.

Les sourcils froncés, Paige esquissa une petite moue et expliqua :

— En résumé, Shyla était ma meilleure amie. Nous avons emménagé ensemble à San Diego. Puis elle a rencontré un homme qui l'a quittée quand elle s'est retrouvée enceinte. Pendant un moment, tout s'est bien passé quand même, parce que nous nous soutenions. Mais, après la naissance d'Ana, Shyla est tombée gravement malade. Pendant l'accouchement, elle avait perdu beaucoup de sang et a eu du mal à s'en remettre. Elle a fini par faire une phlébite, le caillot a atteint ses poumons et… elle est morte. Nous nous sommes retrouvées toutes seules, Ana et moi.

Dante repoussa la surprenante vague d'émotion qui le submergeait, à la pensée de cette enfant privée de sa mère à la naissance.

— Votre amie avait bien des parents ?

— La mère de Shyla ne s'est jamais occupée d'elle. D'après ce que j'en sais, son père est toujours vivant, mais, même s'il le voulait, ce dont je doute, il serait incapable de prendre soin d'un enfant.

— Et vous ne pouvez l'adopter, à moins d'être mariée.

— Ce n'est pas si simple, soupira Paige en se mettant à faire les cent pas. Rebecca Addler ne l'a pas exprimé aussi clairement. Aucune loi, aucun règlement n'impose de vivre en couple. Mais dès qu'elle est entrée chez moi j'ai perçu sa réticence. En particulier à cause de l'appartement.

— Qu'est-ce qui ne va pas, avec ce logement ?

— Il est petit. Très sympa, et situé dans un bon quartier, mais petit.

— Les logements sont chers à San Diego.

15

— Oh, oui, c'est vrai. Même hors de prix. C'est pour ça que le mien est si petit. Ana doit partager ma chambre et je reconnais qu'un appartement au quatrième n'est pas idéal pour élever un enfant. Pourtant, beaucoup de gens y arrivent.

— Alors pourquoi n'en auriez-vous pas le droit ? répliqua Dante, gagné par l'indignation.

— Je n'en sais rien. Mais elle m'a bien fait comprendre qu'elle ne voulait pas que j'obtienne la garde. Alors… j'ai paniqué.

— Et, fortuitement, mon nom a jailli dans la conversation, pour se retrouver à la une des journaux ?

Les joues de la jeune femme virèrent au rose incarnat.

— J'ignore comment c'est arrivé. Je ne peux pas imaginer que Rebecca… Si vous la connaissiez, vous sauriez qu'elle est incapable d'une chose pareille. En revanche, elle a rédigé une note qu'elle a ajoutée au dossier. Une note qui a dû tomber entre les mains d'une personne malveillante.

— Que disait-elle ?

— Elle comportait votre nom et la mention de nos fiançailles. Rebecca m'a laissé entendre que ce nouvel élément pourrait peser en ma faveur.

— Vous ne pensez pas que son revirement a plus à voir avec ma fortune qu'avec notre éventuel mariage ? suggéra Dante, qui ne se faisait pas plus d'illusions sur son charme que sur le monde en général.

Chez lui, ce qui attirait les femmes, c'était l'argent, et l'assistante sociale n'avait pas réagi différemment — même si, pour Dante, décider de l'avenir d'un enfant sur de tels critères était affligeant.

Hélas, c'était ainsi que tournait le monde. Lui qui avait été privé de tout et possédait, à présent, plus d'argent qu'il ne pourrait jamais en dépenser avait bien compris la leçon.

Paige se mordilla la lèvre inférieure avec anxiété, avant de souffler :

— C'est possible.

Sur ces entrefaites, le téléphone sonna. Dante décrocha en lançant :

— Dante Romani.

La voix tendue de son assistant résonna dans la pièce.

— Monsieur Romani, les journalistes ont appelé toute la journée pour obtenir un communiqué... sur vos fiançailles.

Furieux, il décocha un regard meurtrier à la jeune femme, qui l'encaissa sans broncher. Mais s'en était-elle seulement aperçue ? Les yeux vagues, elle était perdue dans la contemplation du port et tortillait une mèche de ses cheveux. Vraiment, cette fille était la créature la plus... instable et désordonnée qu'il ait jamais vue.

— Et alors ? répliqua-t-il, encore indécis sur la manière de jouer cette partie.

La presse était convaincue qu'il allait épouser Paige et adopter un enfant avec elle. S'il se rétractait, il conforterait les a priori de ceux qui le taxaient de cynisme et d'insensibilité. Certes, il n'était pas particulièrement aimable et détestait l'hypocrisie, ce n'était pas pour autant qu'il avait envie de se faire assassiner par les médias. Se mettre les journalistes à dos nuirait à ses affaires. Une perspective inacceptable. Don et Mary Colson l'avaient adopté pour une raison précise : lui léguer leur fortune et leur empire commercial. Et il n'avait pas le droit de les décevoir.

Par ailleurs, il y avait cette petite Ana... D'accord, il n'aimait pas les enfants et n'en voulait pas. Mais les souvenirs de sa propre enfance et de sa douloureuse errance étaient restés vivaces dans sa mémoire.

Bon sang ! Ça ne lui ressemblait guère de se faire du souci pour un autre être humain. Et pourtant il éprouvait le besoin puissant d'épargner à cette petite des horreurs que lui, hélas, n'avait que trop bien connues.

— Ils exigent des détails, reprit Trevor.

— Bien sûr. Moi aussi. Mais ils attendront. Je ne ferai aucune déclaration.

Il coupa la communication et étudia la jeune femme en

cherchant mentalement une stratégie — comment diable tourner ce tapage médiatique à son avantage ?

— Bon, j'aurais besoin d'éclaircissements, lança-t-il. Que proposez-vous ?

— De nous marier ? balbutia-t-elle. Ou, au moins, de faire durer nos fiançailles ?

Dante reposa les yeux sur le journal, soudain très excité à l'idée de pouvoir manipuler son image.

Pendant des années, on l'avait dépeint comme un ingrat dénué d'affection, usurpant la place de l'héritier légitime au sein de la famille Colson. Puis, au fil du temps, cette image avait évolué pour devenir celle d'un patron inflexible, doublé d'un amant sans scrupule, qui séduisait ses conquêtes par ses prouesses sexuelles, sa perversité et son argent, avant de les jeter comme des Kleenex. Ce portrait influait sur le regard que les gens posaient sur lui. Sur leur manière de lui parler. De faire des affaires avec lui.

Que se passerait-il s'il améliorait cette image ? Bien sûr, pour un temps limité, car il n'allait pas s'éterniser avec Paige. Pas question de s'enliser dans une relation qui ressemblerait de près ou de loin à un mariage ! Cependant, des fiançailles, même passagères, ouvraient d'intéressantes perspectives. Dans le passé, certains partenaires commerciaux, choqués par sa réputation, avaient refusé de négocier avec lui. S'il se casait et devenait père de famille, ce changement, même provisoire, serait-il susceptible de faciliter certaines transactions, d'arrondir des angles ?

Cette jeune femme sera-t-elle capable de le faire changer ? En fait, la question était : pouvait-il l'utiliser, lui, pour corriger son image ?

Fugitivement, Dante se laissa aller à songer aux multiples manières dont il pourrait profiter de Paige, lâchant la bride aux fantasmes qui l'assaillaient chaque fois qu'elle pénétrait dans son bureau et qu'il avait toujours énergiquement refoulés.

Cette fois, il permit à ces pensées illicites de vagabonder

quelques secondes avant de les chasser d'un hochement de tête. Ce n'était pas le corps de Paige qui l'intéressait.

— Très bien, mademoiselle Harper. Afin de sauver les apparences, j'accepte votre proposition.

— Vous… quoi ? bredouilla-t-elle en écarquillant ses yeux pervenche.

— C'est décidé, je vous épouse.

2.

Stupéfaite, Paige eut l'impression que le sol se dérobait sous ses pieds. Mais Dante restait imperturbable et le décor de la pièce n'avait pas bougé.

— Vous… quoi ?

— J'accepte. Du moins, pour donner le change. Jusqu'à ce que la fureur des médias s'apaise.

— Je… d'accord, souffla-t-elle en le regardant se lever et contourner son bureau avec des mouvements posés, méthodiques et efficaces.

Elle s'était souvent demandé ce qu'il faudrait pour lui faire perdre son sang-froid, ébranler cette inaltérable assurance. Or, elle venait d'y parvenir rien qu'en faisant filtrer par inadvertance l'annonce de leurs fausses fiançailles dans la presse.

— Parfait, dit-il. Je ne vois aucune raison pour que ce plan échoue.

— Qu'est-ce qui vous a décidé ?

— N'est-ce pas ce que vous vouliez ?

— Tout à fait… oui, balbutia-t-elle, étourdie. Mais, ça m'étonne un peu parce que, sans vouloir vous vexer, vous n'êtes pas réputé pour votre caractère conciliant et charitable.

— Vous imaginez ce que dira la presse si je me rétracte ? répliqua-t-il en brandissant le journal. Les journalistes salivent déjà à l'idée de me mettre en pièces. Je vois d'ici les gros titres.

— Oui, je comprends que cela serait… préjudiciable à

votre image. N'empêche, je suis époustouflée qu'ils aient pu gober cette fable.

— Vous avez lu les histoires qu'on raconte sur moi, n'est-ce pas ? demanda-t-il avec un sourire ironique.

Confuse, elle baissa les yeux en rougissant.

— Oui, ça m'est arrivé. Mais comment peut-on annoncer des fiançailles en se basant sur un vague tuyau ? C'est tout de même bizarre, non ?

— Ça me ressemblerait assez de dissimuler une relation importante, répondit-il avec un haussement d'épaules. Si j'en avais une, ce qui n'est jamais arrivé.

— Oh ! Zut ! s'exclama soudain Paige en lorgnant l'horloge murale au-dessus de la tête de son patron.

— Qu'est-ce qu'il y a encore ?

— Il faut que je file chercher Ana. On doit m'attendre à la crèche.

— Je vous accompagne, décréta-t-il en se levant.

— Pardon ?

— Je suis votre fiancé, oui ou non ?

— Je ne sais pas…

— Paige, vous me paraissez bien hésitante, lança Dante en empoignant son manteau et en ouvrant la porte dans la foulée.

— Non, pas vraiment. Seulement, je ne comprends pas par quel miracle vous êtes passé de la fureur aveugle à… la résignation.

— Je suis un homme d'action. Je n'ai pas de temps à perdre à tergiverser.

Elle passa devant lui et sortit dans le vestibule, où l'assistant de Dante montait la garde, derrière son bureau.

— Bonne soirée, monsieur Romani ! lança Trevor en les dévisageant.

— A vous aussi, Trevor, répondit son patron. Vous devriez rentrer chez vous.

— Dans un moment. Alors vous…

— Oui, nous sommes fiancés, confirma Paige.

— Vraiment ? répliqua l'assistant, dubitatif.

Elle hocha la tête et jeta un regard à Dante, qui avait l'air d'apprécier cet échange, avant de répéter :

— Oui, fiancés.

— C'est exact, renchérit son compagnon.

— Je... Je l'ignorais, marmonna Trevor, pincé.

— Je suis un homme discret... quand ça m'arrange, ironisa Dante.

— Je vois, répliqua l'assistant d'un ton sec en se tournant vers l'écran de son ordinateur.

— A demain ! lança Dante, qui ne reçut en retour qu'un vague salut de la tête.

— On dirait que la nouvelle n'enthousiasme pas votre assistant, observa Paige en entrant dans l'ascenseur, un peu déroutée par les rapports qu'entretenaient les deux hommes.

— Parce qu'il est furieux de ne pas avoir été le premier au courant, expliqua-t-il. Trevor veut tout savoir, et le moindre événement doit être consigné, au moins six mois à l'avance, dans mon agenda.

— Cela ne vous dérange pas de le voir... si contrarié ?

— Pourquoi ? Vous auriez voulu que je le jette par la fenêtre du trentième étage ?

— J'avoue que l'idée m'a effleurée.

— Je ne suis pas un tyran !

— Ah bon ? répliqua-t-elle, s'attirant un regard noir. Vous avez bien viré Carl Johnson. A cause d'un match de base-ball.

— Est-ce qu'attendre de mes employés qu'ils fassent acte de présence durant les heures de bureau pour mériter les généreux salaires que je leur octroie fait de moi un tyran ?

— C'était pour assister à la finale de son fils...

— Ce dont se fichaient totalement les autres participants à la réunion ! Si chacun s'absentait à sa guise, chaque fois qu'il estime qu'un événement personnel doit prendre le pas sur son travail, l'entreprise ferait faillite.

— Et si c'était votre vie personnelle qui était en jeu ?

— J'ai écarté cette éventualité en n'en ayant aucune.

— Oh ! Je vois…

— A cause de ce qu'on écrit sur moi, vous vous attendez à ce que je me conduise de manière irrationnelle, et pourtant vous me voyez agir quotidiennement au bureau, expliqua-t-il. Ça prouve bien l'influence des médias. Il est grand temps que je les utilise à mon profit.

— Oui… sans doute, balbutia-t-elle, rouge de confusion.

En effet, si Dante était un homme dur, jamais elle ne l'avait entendu crier — avant ce matin. Quoi qu'en dise la presse, il était un bon patron.

Gênée, elle détourna les yeux sur les portes de l'ascenseur, où leurs silhouettes brouillées se reflétaient sur le métal. Elle avait beau porter ses talons les plus vertigineux, elle lui arrivait à peine à l'épaule. A côté de lui, elle semblait… si frêle, si gauche. Dante, en revanche, était égal à lui-même : ombrageux et fascinant, viril au plus haut point, pas du tout emprunté et un peu inquiétant.

— Dans mon bureau, vous avez élevé la voix, objecta-t-elle.

Sa réflexion lui attira un rire cinglant.

— Parce que vous trouvez que la situation ne le méritait pas ?

— Tout de même, c'était un peu exagéré.

— Comment auriez-vous réagi si les rôles avaient été inversés ?

— Je n'en sais rien. Dites-moi, vous êtes sérieux à propos de nous ? demanda-t-elle, soudain angoissée à l'idée qu'il puisse reculer.

— Je plaisante rarement. Pour ainsi dire jamais.

— Vous avez vraiment l'intention d'aller jusqu'au bout ? Vous comprenez, si je me fais prendre en flagrant délit de mensonge, je risque de perdre bien plus qu'Ana.

— Comme je viens de le dire, je ne plaisante jamais.

— Peut-être, mais je n'arrive pas à comprendre pourquoi vous m'aidez.

— Parce que cela me sert.

— A quoi ?

— Paige, on me décrit comme un tyran, pire, comme le diable incarné, expliqua-t-il d'un ton pince-sans-rire.

— C'est bien ce que je me disais ! s'exclama-t-elle.

— Or, la presse prétend que vous pourriez m'amender. L'idée m'est donc venue de donner le change, dans le but d'améliorer mes affaires.

— Etant entendu qu'en contrepartie vous nous aiderez, Ana et moi, n'est-ce pas ?

— Je ne vois là rien de condamnable.

Il avait répliqué avec tant de sérieux qu'elle faillit éclater de rire. A entendre Dante, on aurait dit qu'aider autrui frisait la perversité.

— Alors, c'est parfait, conclut-elle en traversant le hall pour rejoindre la garderie, qui, depuis quelques mois, était devenue son havre.

Elle ouvrit la porte et gémit en découvrant Genevieve, la puéricultrice en chef, qui tenait Ana dans ses bras. Elles étaient les dernières encore sur place. Confuse, elle laissa tomber ses affaires sur le comptoir et lança :

— Oh ! Excusez-moi.

— Ne vous inquiétez pas, dit Genevieve. Tout à l'heure, quand 5 heures ont sonné, la petite a pleuré un peu, parce que vous n'étiez pas là, mais c'est fini, elle s'est presque rendormie.

La puéricultrice déposa le bébé emmailloté dans une couverture entre les bras de Paige, qui l'étreignit, le cœur fondant de tendresse. Elle jeta un regard à Dante et comprit qu'elle avait pris la bonne décision. Parce qu'elle serait anéantie si quelqu'un lui prenait sa fille et qu'elle était prête à tout pour l'empêcher. Parce qu'Ana était sienne. Et que, même si le mariage avec Dante n'était pas une nécessité absolue, elle était prête à agripper la moindre planche de salut.

Genevieve, qui s'était penchée pour récupérer le sac à langer du bébé, se redressa en sursaut, les yeux écarquillés. Elle venait juste de remarquer la présence de son patron.

— Monsieur Romani, quel bon vent vous amène ?

— Je suis venu chercher Ana, répondit-il.

— Oh... je..., bafouilla Genevieve, qui ouvrit des yeux ronds en voyant Dante se pencher au-dessus du comptoir pour lui prendre le sac à langer des mains.

— Allons-y, *cara mia* ! lança-t-il en ramassant les affaires de Paige.

En d'autres circonstances, la vision de son Italien de patron, grand et costaud, pressant son sac à paillettes sur sa poitrine, aurait déclenché l'hilarité de Paige, mais c'est un tout autre sentiment qui lui réchauffait le cœur. Il lui nouait la gorge, l'empêchant de rire.

Saluant Genevieve du bout des doigts, elle franchit la porte que son compagnon lui tenait obligeamment, puis se dirigea vers le parking, Dante sur ses talons. Se souvenant tout à coup qu'il portait ses affaires, elle s'arrêta, confuse.

— Oh ! Excusez-moi ! Je vais m'en charger.

— Inutile, je les tiens.

— Mais vous n'avez pas à le faire... Je veux dire... Vous n'êtes pas obligé de m'accompagner jusqu'à ma voiture.

— Bien sûr que si !

— Pas du tout. Il n'y a aucune raison.

— On vient d'annoncer nos fiançailles. Vous croyez que je laisserais ma fiancée rejoindre seule sa voiture, chargée d'un bébé, d'un sac à langer, de son sac à main et... de tout ce fourbi ?

— Sans doute pas, concéda-t-elle. En même temps, vous ne passez pas vraiment pour un homme chevaleresque.

— Peut-être, mais je suis en train de changer, vous avez oublié ?

— Pourquoi, exactement ?

— Continuez à parler tout en marchant, ordonna-t-il.

— A vos ordres..., dit-elle dans un soupir en se remettant en chemin.

— Où êtes-vous garée ? s'enquit-il, une fois arrivé dans le parking.

— Là-bas, répondit-elle en désignant la droite. Grâce à Ana, j'ai obtenu une place tout près de la sortie.

— Une pratique positive, dont je ne crois pas être l'initiateur.

— Je pense que c'est une idée de votre père.

— Tiens, c'est intéressant et ça ressemble bien à Don, observa-t-il avec une expression étrange. Il a toujours été pragmatique. C'est ce qui l'a poussé à créer une crèche d'entreprise. Il savait que cela serait tout bénéfice pour l'entreprise, car cela plairait au personnel tout en réduisant au maximum l'absentéisme. Même s'il est inévitable que de pauvres pères ratent de temps en temps une compétition sportive de leurs rejetons, car il est exclu que j'installe un stade dans le parking, conclut-il sur un ton acide.

— Evidemment, répondit Paige, qui, gênée, ne savait pas comment prendre congé. Je n'ai jamais rencontré votre père, mais, à en juger par certaines de ses initiatives, c'est un homme très bon.

— En effet.

Alors qu'elle se dirigeait vers sa voiture, elle s'immobilisa au bout de quelques pas et pivota vers lui :

— Mon sac !

Dante fouilla dans le désordre qui l'encombrait pour en extraire la besace dorée, pendant qu'elle tirait sur la poignée de sa portière.

— Inutile de vous embêter, lança-t-elle. J'avais oublié de fermer.

— Vous avez oublié de fermer votre voiture ?

— Le parking est sécurisé…

— Mais fermer offre une sécurité supplémentaire, rétorqua-t-il avec raideur, pendant qu'elle ouvrait la portière arrière pour installer Ana dans son siège auto.

— Depuis combien de temps vivez-vous dans ce pays ? demanda-t-elle en se redressant.

— Depuis l'âge de six ans. Pourquoi ?

— Vous vous exprimez... dans un anglais très recherché.

— Ce n'est que ma deuxième langue et il se trouve que Don et Mary parlent un anglais particulièrement châtié. Ils ont un côté très aristocratique.

— Pourtant, vous les appelez par leurs prénoms ?

— J'avais quatorze ans quand ils m'ont adopté. Cela aurait paru bizarre de les appeler autrement. D'autant que j'ai été adopté pour devenir l'héritier de l'empire Colson plutôt que pour jouer le rôle d'un fils.

— C'est ce qu'ils vous ont dit ?

— C'est la seule explication que j'aie pu trouver, répliqua-t-il sur un ton neutre.

— Alors, pourquoi ne portez-vous pas leur nom ?

— Dès le début, Don et moi sommes tombés d'accord sur ce point, expliqua-t-il. Je souhaitais garder le nom de ma mère.

— Et pas celui de votre père ?

— Non, répliqua-t-il le visage fermé et les yeux brillant d'une lueur orageuse.

Déconcertée, Paige se tourna vers Ana, qui dormait à poings fermés. Elle l'attacha avec soin dans son siège, avant de refermer la portière et de s'adosser à la carrosserie.

— Bon ! J'imagine que je vous vois demain, lança-t-elle.

— Non, dès ce soir.

— Comment ?

— Nous n'allons pas nous lancer tête baissée dans cette entreprise sans avoir élaboré un plan. Puisque je vous aide, vous devez me renvoyer l'ascenseur. Il est dans notre intérêt commun que notre histoire soit crédible car, dès que nous aurons mis le doigt dans l'engrenage, il n'y aura pas de retour en arrière possible. Compris ?

Paige hocha lentement la tête.

— Alors, tenez-vous-le pour dit, parce que l'affaire est bien plus sérieuse pour vous que pour moi, observa-t-il. Si la vérité éclate, ça ne fera qu'égratigner un peu plus ma réputation déjà bien malmenée, alors que vous...

— Je pourrais tout perdre, souffla-t-elle, saisie d'un frisson glacé.

— Nous devons donc nous prémunir contre les faux pas. Je vous suis jusque chez vous.

— J'ai la tête qui tourne, gémit-elle.

— Voulez-vous que je prenne le volant ?

— Non, ça ira, ça ira, répondit-elle en priant le ciel pour que ce soit vrai.

3.

La maison de Paige lui ressemblait. Pleine de charme, un peu excentrique, avec un indescriptible bric-à-brac dans le séjour. En fait, le bazar dans son bureau n'était que la partie visible de l'iceberg. La caverne d'Ali Baba se trouvait ici.

— Excusez le désordre, lança-t-elle en déposant avec précaution le siège du bébé sur la table basse. Vous n'avez qu'à jeter mes affaires sur le canapé.

Elle déboucla le harnais d'Ana et serra le bébé sur son cœur.

Emu, Dante détourna les yeux du charmant tableau. Il lui rappelait quelque chose, sans qu'il sache exactement quoi, car chaque fois qu'une bribe de souvenir d'enfance tentait de remonter à la surface il la repoussait sans ménagement dans les limbes.

— Jetez tout ça, insista-t-elle en voyant qu'il cherchait où poser ses affaires.

— Je ne jette jamais rien par terre ! protesta-t-il, choqué.

Paige leva les yeux au ciel.

— Alors, tenez-moi Ana, je vais m'en occuper.

Horrifié, Dante eut un mouvement de recul.

— Je ne tiens jamais les bébés.

— S'il vous plaît !

Au lieu d'obtempérer, Dante posa le sac à main sur le comptoir de la cuisine, puis pénétra dans le salon pour déposer le tissu sur une pile de rouleaux et ranger le

31

carnet de croquis près d'une boîte contenant des feutres et des crayons.

Au moins, ce rangement avait un semblant de logique.

— Inutile de vous donner cette peine, ironisa-t-elle.

— Comment vous y retrouvez-vous dans ce chaos ? demanda-t-il, médusé.

— Très facilement, répliqua-t-elle en déambulant dans la pièce, tandis qu'il l'observait, perplexe.

Cela le laissait pantois, mais la jeune femme semblait en effet très à l'aise dans ce capharnaüm. Alors que lui avait besoin d'ordre. Un besoin vital.

— Quelle est votre taille de bague ? demanda-t-il, après s'être éclairci la gorge.

— 52, répondit-elle, étonnée. Pourquoi ?

— Il vous en faut une.

— J'ai des bagues, dit-elle avec un geste de la main. Je peux porter l'une des miennes.

— Je doute qu'elles correspondent au style de bijou que j'achèterais à ma future épouse.

Piquée, Paige interrompit ses allées et venues pour répliquer :

— Peut-être que votre style n'aurait pas non plus l'heur de me plaire.

— Qu'importe, nous finirons par arriver à un compromis. Il n'empêche que votre bague de fiançailles doit correspondre à mon train de vie.

— La situation est tellement bizarre ! dit-elle en se laissant tomber sur le canapé, Ana toujours serrée sur sa poitrine.

— C'est vous qui avez prétendu que nous étions fiancés.

— Oui, je sais. Et à la minute où je l'ai dit j'ai su que je venais de commettre une grossière erreur. Que voulez-vous ? C'est sorti tout seul.

Pour une raison inconnue, Dante ne mettait pas sa parole en doute. Il faut dire que c'était la décision la plus absurde qui soit. Si Paige avait réfléchi, ne fût-ce qu'une seconde, elle aurait choisi un autre homme. Un type aimant les enfants et les chiots, et doté d'une once de compassion. Bref ! Tout son contraire.

— Je ne peux pas la perdre, affirma-t-elle en regardant le bébé qui dormait dans ses bras. Je ne peux pas laisser cette stupide erreur briser sa vie. Et la mienne.

Sourd aux injonctions de son cerveau qui lui intimaient de se détourner, Dante, fasciné, contempla la jeune femme et le nourrisson béat blotti dans son giron. Et sentit une inquiétude sincère lui étreindre le cœur — une réaction aussi surprenante qu'inédite.

— C'est pourquoi il ne faut pas seulement que notre histoire soit vraisemblable, mais aussi qu'elle soit vraie, répliqua-t-il.

L'idée venait de le frapper : pour obtenir l'adoption, des fiançailles ne suffiraient pas. Le mariage était indispensable.

— Vous voulez garder Ana à tout prix ? demanda-t-il.

— Oui.

— Alors, avant que nos chemins ne se séparent, il faut que l'adoption soit conclue. Par conséquent, nous devrons nous marier.

— Marier… marier ? bredouilla-t-elle, abasourdie.

— Je parie que les services sociaux se montreront particulièrement tatillons sur la légalité de notre union. Nous ne pouvons pas nous contenter de sauter au-dessus d'un balai sur une plage quelconque.

— Vous parlez d'un… vrai mariage ?

— Bien sûr.

— Qu'est-ce que vous entendez par là ? demanda-t-elle en écarquillant ses yeux bleus.

Il faillit rire en voyant l'épouvante qui se peignait sur ses traits. La plupart des femmes ne semblaient pas horrifiées à la perspective de coucher avec lui. Au contraire. Elles acceptaient ses propositions avec empressement, quand ce n'était pas elles qui le draguaient.

Or, le plus souvent, il s'abstenait de prendre ce qu'on lui offrait. Il n'était pas sadique et ne voyait aucun intérêt à blesser ses semblables. Il aurait pu facilement profiter de ces innocentes aux yeux candides, qui brûlaient de le changer, d'émouvoir l'homme au cœur de pierre, de le sauver — comme si c'était possible ! —, mais il s'y refusait. Il n'empêche que la réaction de Paige l'intriguait.

— Ce n'est pas ce que j'ai en tête, dit-il.

— De quoi parlez-vous, alors ? demanda-t-elle avec un regard innocent.

Allons donc ! Est-ce qu'elle voulait lui faire croire que ses pensées n'avaient pas dérivé vers la chambre à coucher ? C'était adorable, mais si peu convaincant…

— Si c'est ce qui vous inquiète, je n'ai aucunement l'intention de coucher avec vous, affirma-t-il, alors même qu'il se demandait si ses sous-vêtements étaient aussi chatoyants que le reste de sa personne.

Aussitôt, il s'imagina en train d'étendre Paige sur des draps blancs, ses dessous vaporeux tranchant sur le linge immaculé.

Une violente rougeur colora les joues de la jeune femme, qui baissa les yeux vers le nourrisson.

— Je… bien sûr que non, bafouilla-t-elle. Je veux dire… Je n'y ai jamais pensé.

Et lui devait se l'interdire ! Et arrêter de fantasmer sur son interlocutrice, parce qu'il fallait rester concentré. Dante s'efforça donc de juguler le flot ininterrompu d'images érotiques qui l'assaillait, et observa :

— Votre mine prouve le contraire.

— C'était une question sans arrière-pensée, se récria-t-elle. Et puis, si nous devons passer au stade supérieur, je suis en droit de poser des questions. De savoir ce que vous entendez par « vrai » — en dehors du certificat de mariage.

— Ce que j'entends par là concerne l'ensemble des activités d'un couple à l'exclusion du sexe. Vous devrez m'accompagner à toutes les mondanités, il faudra nous marier officiellement et vous vous installerez chez moi. Bref, notre union doit avoir l'air vraisemblable.

Néanmoins, l'idée d'installer cette minitornade aux

couleurs d'arc-en-ciel chez lui ne lui disait rien qui vaille. Surtout qu'il n'y avait pas que Paige, il y avait aussi le bébé.

Dante serra les dents. Tant pis ! Il ne remettait jamais en cause ses décisions. Tout allait bien se passer. Sa maison était vaste. Et l'arrangement n'était que temporaire.

— Je sais, dit-elle en soupirant. Mais… ça paraît si fou, si… excessif.

— Paige, détrompez-vous, c'est loin de l'être. Vous nous avez entraînés tous les deux dans un jeu dangereux. Si nous sommes convaincus de mensonge, cela pourrait avoir des conséquences. Des conséquences fâcheuses, en particulier pour vous.

Elle se mordilla la lèvre inférieure.

— Vous avez raison, déclara-t-elle.

— Evidemment, répliqua-t-il, en détournant à grand-peine les yeux de sa bouche pulpeuse. Vous auriez quelque chose à boire ?

— Euh… il y a un cubi de vin dans le frigo.

— Un cubi ? s'exclama-t-il sans chercher à masquer sa réprobation.

— Tralala lalère ! chantonna-t-elle en se levant. Je vais coucher Ana dans son berceau. Pensez-vous pouvoir garder votre sens critique dans votre poche pendant deux minutes ?

— Je ferai de mon mieux.

Il la regarda quitter la pièce, les yeux rivés sur le balancement de ses hanches et ses rondeurs voluptueuses. Après tout, il était un homme et Paige était belle. Elle avait beau ne pas être du tout son genre, ce n'était pas la première fois qu'il remarquait son sex-appeal.

Ce, même si elle n'avait rien de commun avec les femmes discrètes et réservées qu'il affectionnait. C'était bien ce qui la rendait encore plus fascinante.

Elle revint quelques instants plus tard, une trace humide sur son épaule.

— Vous avez une tache sur votre chemisier, remarqua-t-il.

— Tiens, c'est vrai ! s'exclama-t-elle. En ce moment,

Ana n'arrête pas de baver. C'est qu'elle n'a pas encore de dents, vous comprenez.

Décontenancé, Dante se laissa tomber sur le canapé en lâchant un profond soupir.

— Je prendrais volontiers un peu de vin.

L'idée de recevoir chez lui cette créature, chargée de tout son capharnaüm et flanquée d'un bébé baveux, suffisait à le faire frissonner d'angoisse.

Paige haussa les épaules, envoya valser ses chaussures et se dirigea vers la cuisine. Elle revint vers le canapé, deux verres dépareillés à la main qu'elle avait remplis au fameux cubi.

— Cela fait une éternité que je n'ai pas reçu quelqu'un chez moi, expliqua-t-elle en lui tendant un verre ballon. En dehors de l'assistante sociale, bien sûr.

Elle tira une chaise près du canapé et s'assit sur les genoux, les pieds recroquevillés sous elle.

— Depuis combien de temps ? demanda-t-il.

— Depuis la mort de Shyla, répondit-elle en fixant le contenu de son verre.

— Ça a dû être dur, dit-il, comme elle restait silencieuse.

— Oui, c'était ma meilleure amie, répondit-elle, après avoir avalé une longue gorgée de vin. Comme je vous l'ai dit, notre diplôme en poche, nous avons quitté l'Oregon ensemble pour nous installer à San Diego.

— Pourquoi ici ?

— Il y fait beau, non ? répondit-elle, évasive. Probablement l'envie de prendre un nouveau départ, de rencontrer des gens nouveaux. Peu après notre arrivée, Shyla a fait la connaissance de son ami, chez qui elle a fini par emménager. Mais, quand elle est tombée enceinte, il a paniqué. Alors elle est revenue avec moi. On était à l'étroit, mais c'était merveilleux. Et puis… Ana est née. C'était tellement sympa de l'avoir avec nous, si étonnant, souffla-t-elle en fixant son verre, ses cils étincelant de larmes pareilles à des éclats de cristal. On se débrouillait pas mal, toutes les trois.

— Quel âge avez-vous, Paige ?

La question le tracassait. Elle paraissait si jeune ! Sa peau bien lisse était diaphane, ses yeux bleus limpides et frangés de longs cils sombres et ses lèvres roses et pulpeuses, un peu boudeuses, lui donnaient une expression presque enfantine.

— Vingt-deux ans.

— Vous n'avez que vingt-deux ans ?

Dix ans de moins que lui et pourtant elle était prête à élever seule un enfant !

— Vous avez envie d'être mère si tôt ? demanda-t-il. Vous avez tout le temps devant vous. Vous ne voulez pas vous marier ?

— Pas vraiment. Si vous m'aviez posé la question il y a quelques mois, je vous aurais répondu que je n'étais pas prête à avoir un enfant. Une réponse en l'air au sujet d'un éventuel bébé. Mais Ana est bel et bien là. Et elle a besoin de moi, car elle n'a personne d'autre.

— Nuance, elle a besoin de quelqu'un qui s'occupe d'elle, pas obligatoirement de vous, argua-t-il, ce qui la fit se raidir.

— Si, affirma-t-elle d'une voix faible.

— Pourquoi ?

— Je ne crois pas que quelqu'un puisse l'aimer autant que moi. Et je… Je connaissais Shyla, mieux que personne. Je pourrai lui parler de sa mère. Et puis, Shyla me l'a demandé, ajouta-t-elle, la gorge nouée. Elle m'a suppliée de prendre soin de sa fille.

Cette réponse toucha Dante en plein cœur, faisant affluer en foule les souvenirs qu'il tentait de chasser depuis qu'ils avaient récupéré Ana à la crèche. Des souvenirs trop vifs et trop obsédants pour qu'il puisse les contenir : une douce berceuse, des mains caressantes… et du sang. Tellement de sang…

Il cilla pour chasser les images gravées sur sa rétine, puis porta le verre à ses lèvres. Aussitôt, il le reposa sur la table avec une grimace et dit :

— Je comprends vos raisons.

— Ce n'est pas seulement pour Shyla. C'est aussi pour moi. J'aime Ana. Comme… comme si c'était vraiment mon bébé. Je ne peux pas… Je ne peux pas la laisser partir, la confier à quelqu'un d'autre. L'amour que j'éprouve est si fort que, parfois, il me submerge.

Dante avait beau être insensible, il percevait son émoi, la peur qui irradiait d'elle. Il faut dire que Paige ne faisait rien pour dissimuler son angoisse. Du reste, en était-elle capable ? Il en doutait fort. Elle était trop sincère — du moins, si on excluait son petit mensonge. Ce mensonge qui l'avait piégé en beauté.

— Vous ne pouvez pas garder cette mèche rose, lâcha-t-il.

— Pardon ? répliqua-t-elle en passant la main dans ses cheveux, en un geste inconscient et terriblement sexy.

— Je ne peux pas me fiancer à une femme aux cheveux roses.

— Mais vous venez de le faire ! Pas plus tard que tout à l'heure.

— Je viens juste de découvrir l'existence de cette mèche fluo, à la suite de quoi je pourrais décider de rompre notre accord. Alors, il va falloir aller chez le coiffeur.

— C'est ça, votre principale préoccupation ? lui reprocha-t-elle. Ma mèche rose ? Dans ce cas, je crois que nous avons fait une erreur, conclut-elle en avalant une longue gorgée de son horrible piquette.

— Faites-vous donc une teinture, répondit-il, insistant.

— J'ai rendez-vous chez le coiffeur dans quelques semaines. Ça peut attendre.

— Vous oubliez que je vous fais une faveur.

— Vous ne faites pas ça pour mes beaux yeux. Et puis, moi aussi, je vous rends service.

— Peut-être, peut-être pas, répliqua-t-il en haussant les épaules. L'avenir nous le dira.

— Alors, comment allons-nous procéder ?

— Je vais faxer votre taille de doigt à Trevor et l'envoyer acheter la bague adéquate. Vous l'aurez sur votre bureau à l'heure du déjeuner. Demain soir, il faudra la porter, car nous nous rendons à une soirée de bienfaisance.

— Je n'ai personne pour garder Ana.

— Genevieve s'en chargera. A mes frais. Elle est gentille avec lc bébé, non ?

— Oui, mais… J'aurai passé toute la journée loin d'elle.

— Partez donc du bureau en avance. Je viendrai vous chercher ici pour aller à la réception.

— Vous avez une solution toute faite à chacun de mes problèmes, on dirait, bougonna-t-elle.

— C'est plutôt une bonne chose, non ? D'autant plus que vous n'en manquez pas.

— C'est vrai, concéda-t-elle, exaspérée.

Dante se leva en prenant son verre presque intact sur la table basse et lança :

— Bon, eh bien, bonne nuit ! Je viendrai vous chercher, vous et Ana, à 7 h 30 demain matin.

— Attendez un peu… comment ça, me chercher ?

— Paige, à présent, vous êtes ma fiancée, ce qui suppose un certain nombre d'obligations.

— Je n'ai pas… Je n'ai pas consenti à ça.

— C'est vous qui m'avez entraîné dans cette histoire, alors vous n'êtes plus en mesure de fixer les règles, asséna-t-il en rejoignant la cuisine, où il jeta le contenu de son verre dans l'évier. Ce vin est imbuvable. Je vous apprendrai à aimer les bons crus.

— Et aussi les bijoux et les coiffures que vous jugez conformes. Dites-moi, Dante, qu'allez-vous m'apprendre d'autre ? lança-t-elle en croisant les bras sur ses seins — des seins charmants et tout à fait dignes de la main d'un honnête homme.

Envahi par une vague de chaleur intense, il mourut d'envie de dessiner ses lèvres du bout du doigt ou, mieux, avec sa langue. Un désir presque insurmontable.

Qu'importe ! Il y résisterait. Il garderait le contrôle, comme il l'avait toujours fait.

— Question dangereuse, Paige, déclara-t-il en laissant une dernière fois flotter son regard sur sa bouche cerise. Très dangereuse.

4.

En effet, c'était une question dangereuse, mais Paige ne s'en aperçut qu'une fois qu'elle lui eut échappé. Et encore, Dante ne se doutait pas à quel point elle était sincère. Il ne soupçonnait pas l'étendue de son ignorance. Rien que d'imaginer ce qu'il pourrait lui apprendre, elle sentait son corps entrer en ébullition. Raison de plus pour s'éloigner de lui...

Elle consulta l'horloge murale et s'agita nerveusement sur sa chaise.

Genevieve était déjà arrivée et elle lui avait aussitôt confié Ana, à qui il n'avait fallu que quelques secondes pour reconnaître sa nounou habituelle. A présent, toutes deux jouaient sur le tapis du salon.

Soudain, elle prit conscience qu'elle secouait sa jambe et s'arrêta net. Ce tic nerveux était tout à fait déplacé quand on portait un élégant fourreau de soie. Car elle était en robe du soir et s'apprêtait à sortir avec un homme. Ce qui ne lui était pas arrivé depuis... Jamais, en fait.

Jamais elle ne portait de robe longue pour accompagner des milliardaires à de somptueux dîners de bienfaisance. Pas plus qu'elle ne se fiançait aux dits milliardaires ou les épousait. Et pourtant, c'était ce qui l'attendait. Tout ça parce qu'elle avait inventé le mensonge le plus ridicule du siècle...

Un coup sur la porte la fit bondir de sa chaise. Elle attrapa son sac et son étole, alla embrasser la petite tête duveteuse d'Ana et lança :

— Je ne rentrerai pas tard.

— Je ne vous en voudrai pas si vous vous attardez un peu, répondit Geneviève.

— Non, non… je rentrerai tôt, dit-elle en piquant un fard.

Bingo ! Maintenant, ses joues devaient être écarlates. Il fallait vraiment qu'elle arrive à contrôler son émotivité. D'ailleurs, qu'est-ce qui lui prenait de rougir comme cela ? Dante Romani n'avait certainement pas l'intention de la violer sur la banquette arrière de sa limousine.

Coulant au passage un regard dans le petit miroir du salon, elle se hâta vers la sortie en enveloppant ses épaules nues dans son étole. Juste au moment où elle tendait la main vers la poignée, la porte s'ouvrit.

— Vous avez l'intention de me faire geler sur pied ? bougonna Dante.

— Nous sommes à San Diego, il ne gèle jamais et vous êtes dans un couloir climatisé, rétorqua-t-elle du tac au tac.

— C'est une question de principe.

— Je disais bonsoir à Ana. Vous voulez la voir ?

Une expression indéfinissable traversa le visage de son vis-à-vis, où elle vit se succéder le désarroi, la crainte et enfin l'ennui.

— Non, répliqua-t-il.

— Excusez-moi, je demandais ça parce que la plupart des gens adorent les bébés, expliqua-t-elle en sortant dans le couloir, avant de refermer la porte.

— Puisque je n'ai aucune envie d'en avoir, je ne vois pas pourquoi je devrais les aimer, rétorqua-t-il.

— Parce qu'ils sont mignons.

— Oui, comme les chiots, et je n'en désire pas non plus.

— Les bébés ne sont pas des chiots !

— Peu importe. Ils m'indiffèrent autant les uns que les autres.

Exaspérée, elle leva les yeux au ciel et pressa le bouton de l'ascenseur en soupirant :

— Très bien. Mais, vu que vous ne désirez ni femme ni enfant, j'espère qu'Ana et moi ne vous dérangerons pas trop.

— Ma maison est vaste, répliqua-t-il sur un ton qui laissait clairement entendre qu'il aurait souhaité qu'elle le soit davantage.

Sur ces entrefaites, les portes de l'ascenseur coulissèrent et ils pénétrèrent dans la cabine. Désireuse d'alléger l'atmosphère, Paige s'apprêtait à lancer une plaisanterie, quand ses yeux croisèrent ceux de son compagnon. Son regard de braise la détaillait avec un intérêt non dissimulé. Le souffle coupé, elle se figea, fascinée, en se remémorant leur échange de la veille.

Qu'allez-vous m'apprendre d'autre ?

Oh ! non ! Pas question de s'aventurer sur ce terrain-là ! Elle ne l'avait jamais fait et ce n'était pas le moment de commencer.

Dante pouvait avoir toutes les femmes qu'il voulait et à ses propres conditions. Pourquoi aurait-il été attiré par une fille aussi banale qu'elle ?

Paige avait grandi dans une petite ville où tous les garçons qu'elle croisait la connaissaient depuis la crèche. Tous étaient au courant qu'elle parlait trop, qu'elle riait trop fort, qu'elle avait un mal fou à se concentrer en classe. Ils savaient que, la première fois qu'elle avait embrassé un garçon, elle lui avait écorché la langue avec son appareil dentaire, et qu'au lycée elle avait été la cible des tours les plus pendables. Ils savaient qu'elle avait obtenu son diplôme de justesse. Qu'en raison de ses piètres résultats scolaires ses parents n'avaient pas jugé utile de payer pour l'envoyer à la fac. Tous l'avaient regardée prendre un boulot de serveuse, au lieu de partir faire ses études ailleurs, comme les autres.

C'était comme évoluer dans un aquarium avec une nageoire cassée. Rien à voir avec sa sœur si brillante à l'école ou avec son frère, une star du football. Elle, elle n'était que… Paige. Une fille fade et sans relief. Elle avait fini par se résigner à son sort, à se conformer à l'image qu'on se faisait d'elle. C'était tellement plus facile que de s'échiner à devenir quelqu'un d'autre.

Pourtant, un jour, alors qu'elle servait son café à un client — le quinzième de la journée à lui demander des nouvelles de son frère et sa sœur sans lui poser la moindre question sur elle —, elle avait senti que la coupe était pleine.

Une semaine plus tard, elle était partie. Simplement pour s'échapper, vivre ailleurs, dans l'espoir de découvrir qui elle serait vraiment, une fois débarrassée de l'étiquette de fille sans intérêt qui lui collait à la peau.

Si elle n'avait connu ni métamorphose soudaine ni promotion sociale spectaculaire, elle s'était fait un petit groupe d'amis et, surtout, elle avait été engagée chez Colson. Un travail qui, pour la première fois de sa vie, lui procurait un sentiment de fierté.

Ses employeurs avaient su détecter son talent. C'était sur son potentiel créatif qu'ils s'étaient basés pour l'engager, pas sur son bulletin scolaire. C'était grâce à Colson — et donc à Dante — qu'elle avait senti, pour la première fois, qu'on croyait en elle.

Etrange, non ?

Elle coula un regard discret vers son compagnon. Il semblait si imposant et strict dans son smoking sur mesure, parfaitement coupé. Le self-control de cet homme la fascinait, tout comme sa beauté sombre, virile, dénuée de douceur ou de mièvrerie. Au point qu'elle aurait pu rester des heures à le regarder.

L'ascenseur s'immobilisa et ils sortirent dans la rue, où une limousine noire, garée devant l'immeuble, les attendait. Jamais Paige n'était montée dans une voiture avec chauffeur, pas même dans un taxi, car elle circulait toujours dans sa vieille guimbarde rouillée. Dante lui ouvrit la portière arrière et elle se glissa sur la banquette.

— Quel plaisir de ne pas avoir à se frayer un chemin dans les encombrements ! observa-t-elle, quand il vint s'asseoir à ses côtés, après avoir fait le tour du véhicule.

— Moui…, marmonna-t-il en sortant son téléphone pour consulter ses mails.

Voilà ! Le bel homme sexy ne la regardait même plus.

C'était logique. Résignée, Paige baissa les yeux sur ses mains.

— Oh ! Vous… Je ne devais pas porter une bague, pour la soirée ?

— En effet, mais pourquoi tenez-vous tant à gâcher la surprise ? répliqua-t-il en reposant son téléphone.

— Eh bien… parce que ce n'est pas une surprise.

— Qui vous dit que je n'avais pas envie de faire les choses dans les règles ?

Dante devait plaisanter. Mais, avec lui, comment savoir ? Elle l'imagina en train de poser un genou en terre pour faire sa demande en la dévorant des yeux et… Non, mieux valait faire une croix sur la demande en mariage romantique et se borner à espérer un baiser pas trop indifférent. A regret, elle chassa ces images flatteuses et tendit la main :

— Vous l'avez ?

Dante fouilla dans la poche intérieure de sa veste et en tira un petit écrin en velours.

— Voulez-vous être ma femme, et cætera, et cætera…, débita-t-il en soulevant le couvercle de l'écrin sur une émeraude en forme de poire cerclée de diamants.

— Oh ! souffla-t-elle, médusée par tant de splendeur. Comment saviez-vous que j'aimais le vert ?

— Facile, à cause de votre ombre à paupières.

— Ah, répondit-elle en levant machinalement les yeux.

— J'ai pensé que le style de la bague et sa couleur soutenue vous iraient bien. Les nuances pastel ne sont pas pour vous.

— Euh… non, pas trop.

— Passez-la donc.

— Pardon ? Ah, oui !

Alors qu'elle baissait les yeux sur la bague, elle sentit une main glacée lui serrer le cœur. Etait-elle prête à faire ce geste ? A prendre ce bijou et à aller jusqu'au bout ?

Oui et encore oui. Pour une fois, elle était sûre d'elle à cent pour cent. Parce qu'il y avait Ana et qu'elle aspirait à devenir pour toujours la maman de ce bout de chou.

Celle qui l'aimerait, lui offrirait la meilleure vie possible, l'encouragerait et l'accepterait telle qu'elle était.

Résolue, elle prit la bague dans son nid de satin, la glissa à son doigt et conclut :

— Voilà, c'est fait. Nous sommes fiancés.

Dante acquiesça lentement, avant de s'adosser à son siège. Impossible de deviner ses pensées — si tant est qu'il pensait quelque chose. Songeait-il à une belle blonde ou à une fatale beauté brune à qui il aurait préféré offrir cette bague ? Rien qu'à cette idée, elle avait le souffle coupé.

— Ça va ? demanda-t-elle.

— Que voulez-vous dire ?

— Je me demande juste ce que vous avez en tête. Tout de même… la situation est un peu bizarre, non ? C'est vrai, nous nous connaissons à peine. Vous n'avez jamais eu l'intention de vous marier… un jour ?

— Non, répondit-il, sans la moindre hésitation.

— Ah bon ? Même si vous rencontriez la personne idéale ?

— Dans mon cas, cette personne idéale n'existe pas. Il n'y a pas une seule femme avec qui je souhaite passer plus de quelques jours. Et quelques nuits.

Ce qu'il venait de dire donnait à penser qu'aussitôt après leur rencontre lui et ses maîtresses se lançaient dans un marathon amoureux échevelé. Or rien n'était plus éloigné de la vérité.

Il avait toujours entretenu des liaisons avec des femmes aussi occupées et ambitieuses que lui, et tout aussi réfractaires à l'engagement.

En revanche, il ne couchait jamais avec les jeunes actrices ou mannequins qu'il emmenait dans les soirées mondaines. Elles étaient là pour le prestige, pour faire joli sur la photo, ne demandant qu'à être la cible des objectifs.

Ces gamines étaient trop jeunes, trop naïves, pas assez cyniques — à l'inverse des femmes qui partageaient son lit et qui, elles, ne désiraient qu'une chose : deux heures de sexe et deux orgasmes —, exactement comme lui. Elles se fichaient des serments et des paillettes. Tout ce qu'elles cherchaient, c'était à assouvir un besoin primitif. Leurs rapports avaient donc pour unique but de combler ce besoin.

Mais comment expliquer cet arrangement sans qu'il paraisse plus choquant qu'il n'était ?

Il observa le visage de Paige, en proie à un mélange de confusion et de désapprobation. Il avait beau ne pas se soucier de l'opinion d'autrui, il y avait dans ses yeux quelque chose qui lui donnait envie de se justifier. Il préféra toutefois détourner la conversation en demandant :

— Et vous, vous avez envie de vous marier ? A part avec moi, bien sûr…

— En fait, je n'y pensais pas encore.

— Allons donc ! Les femmes ne pensent qu'à ça.

— C'est un lieu commun, et puis vous n'avez aucun moyen de le savoir. Ou plutôt si, maintenant, vous savez que c'est faux, car je n'y ai jamais pensé. Pas sérieusement.

— Pourquoi donc ?

— J'étais trop occupée à découvrir qui j'étais vraiment. Ça fait trois ans que je suis ici et je crois que j'ai commencé… à me trouver. D'accord, ça fait un peu New Age, mais c'est vrai. A la maison, tout le monde avait des idées préconçues sur ma personne, sur mes capacités. J'ai déménagé ici pour découvrir qui je pourrais devenir si on arrêtait de me coller des étiquettes.

— Une noble quête, observa Dante, intéressé.

Car, au fond, lui-même suivait un peu cette démarche — du moins en apparence. Si se trouver était le cadet de ses soucis, l'idée de modifier son image l'attirait beaucoup.

— Pas si noble que ça, répliqua-t-elle. Mais j'avais envie qu'on arrête de me considérer comme la débile de service.

— Je ne peux pas imaginer qu'on puisse vous considérer comme… ce que vous dites.

— Détrompez-vous. Otez le maquillage, ajoutez une queue-de-cheval… et je me retrouve au stade zéro. En fait, je ne l'ai pas dépassé. Seulement, grâce à mon apparence plus sophistiquée, je trompe mieux mon monde, c'est tout.

— Sophistiquée et… tape-à-l'œil.

— C'est plus facile de détourner l'attention avec de la poudre aux yeux, non ?

En un certain sens, Dante comprenait sa philosophie. Ne suffisait-il pas qu'il soit accompagné d'une sublime et pétulante créature pour que personne ne s'aperçoive qu'il détestait les soirées mondaines et affichait un sourire forcé ?

— Vous avez raison et je pense que cet accessoire devrait vous y aider, dit-il en considérant la bague à son doigt.

Il prit sa main et fit courir son pouce jusqu'à la pierre qui étincelait, avant de lever son regard sur elle.

Les yeux de Paige étaient écarquillés, ses lèvres entrouvertes. Aucun doute, s'il se penchait pour l'embrasser, elle lui rendrait son baiser. Or, il était tenaillé par le désir, le besoin de le faire. Pourquoi se retenir ? Tôt ou tard, ils devraient s'embrasser en public. Il était parfaitement justifié de s'entraîner avant, de presser ses lèvres sur cette bouche rose et capiteuse, d'y glisser sa langue pour goûter sa saveur et découvrir si elle était aussi explosive dedans que dehors.

Troublé, il se détourna brusquement. Non, il ne l'embrasserait pas. Pas maintenant. Pas parce qu'il en mourait d'envie, que le désir faisait bouillonner son sang et palpiter son cœur. Seulement quand il en aurait l'utilité.

Il était maître de son corps et de ses pulsions. Toujours. Et ce n'était pas Paige qui changerait cet état de choses. D'autant qu'ils jouaient tous deux un jeu dangereux. Il devait rester maître de la situation.

Embarrassée, elle s'éclaircit la gorge et dit en examinant la bague :

— C'est vrai… Elle attire l'attention.

— Oui, marmonna-t-il, les dents serrées, au moment où ils arrivaient devant l'hôtel où avait lieu la réception.

5.

Paige prit son café au lait à emporter au comptoir, salua sa serveuse préférée et sortit dans la rue.

Elle fit une pause sur le seuil de la boutique pour chausser ses lunettes de soleil et boire une gorgée de café en savourant la beauté de cet après-midi radieux. Soudain, un éclat de soleil troubla la sérénité de l'instant en faisant scintiller sa bague de fiançailles. Un nouvel éclair sur la gauche la fit se retourner.

En fait, le phénomène n'était pas dû à un caprice du soleil mais à un photographe qui la mitraillait sans aucune vergogne.

— Eh ! Vous pourriez arrêter ? protesta-t-elle.

— Mademoiselle Harper ?

— Oui ?

— Quand allez-vous épouser Dante Romani ?

Le cœur battant la chamade, Paige pressa son sac à paillettes sous son bras et s'éloigna en hâte de l'importun. Sur ces entrefaites, son sac se mit à vibrer. Tout en jetant un regard en arrière sur le photographe, qui continuait son manège, elle en sortit son portable :

— Allô ?

— Mademoiselle Harper, c'est Rebecca Addler, du service de l'enfance. J'aimerais vous parler de votre dossier...

Paige accéléra l'allure pour retourner au bureau, pressée d'aller se réfugier auprès d'Ana et aussi de Dante. Un désir dont elle n'avait même pas honte.

— Je suis heureuse de vous entendre, répondit-elle dans

le hall de l'immeuble, en épiant le photographe à travers les portes vitrées. Quel est le problème ?

— Nous devons rencontrer votre fiancé. Comme vous vous en doutez sûrement, il va être impliqué dans la procédure.

— Bien sûr, dit-elle en se dirigeant à grands pas vers l'ascenseur.

— Puisque M. Romani va adopter Ana avec vous, il faudra remplir de nouveaux papiers.

Zut !

— Je comprends, bredouilla Paige, qui avait négligé cette éventualité, en se ruant dans la cabine.

— Et qu'il passe, lui aussi, un entretien, continua Rebecca.

— Naturellement, Dante sera ravi… de participer.

Comme si Dante pouvait être ravi de quelque chose !

— Si ça vous convient, nous pourrions nous rencontrer tous les trois vendredi, proposa l'assistante sociale.

— Ce serait parfait ! s'exclama-t-elle avec un enthousiasme exagéré, juste au moment où l'ascenseur atteignait son palier.

Mais elle se ravisa et appuya sur le bouton de l'étage de Dante. Les portes se refermèrent. Elle régla les détails du rendez-vous avec Rebecca en trépignant d'impatience puis, dès que l'ascenseur s'arrêta, elle fonça dans le couloir, dépassa Trevor et fit irruption dans le bureau de Dante sans même prendre la peine de frapper.

— On vient de me photographier une bonne centaine de fois ! annonça-t-elle, affolée. Ensuite, Rebecca Adler a téléphoné pour dire qu'elle voulait nous rencontrer ensemble. Je viens de réaliser qu'il va y avoir une enquête. Que, pour être crédibles, il faudra faire l'interview chez vous. Et aussi que vous devrez adopter Ana légalement. Ça paraît peut-être évident. Il n'empêche que je n'y avais jamais pensé… et que ça me fait un peu peur !

— Il ne faut pas, répondit Dante, qui n'avait même

pas fait mine de paraître surprise en la voyant débouler à l'improviste dans son bureau.

— Ça ne vous angoisse pas ? demanda-t-elle, ébahie.

— Pas le moins du monde. Inutile de vous en faire. Quand nous divorcerons, je vous accorderai la garde exclusive d'Ana. Vous avez ma parole.

— Ouf ! souffla-t-elle, soulagée. Je me sens déjà mieux.

— Je savais que ça vous rassurerait.

— Mais il reste l'enquête des services sociaux.

— Ana et vous devez emménager chez moi au plus vite, affirma-t-il avec une détermination résignée qui démontrait clairement son manque d'enthousiasme.

— L'idée ne semble pas vraiment vous sourire.

— J'aime trop ma tranquillité.

— Comme vous l'avez dit, c'est une grande maison. Nous ne serons pas l'un sur l'autre.

Voyant son interlocuteur froncer le sourcil, Paige réalisa, épouvantée, l'ambiguïté de ses paroles. Aussitôt, elle se demanda l'effet que cela ferait d'être sur Dante — ou Dante sur elle — et sentit son visage s'empourprer, un frisson parcourir sa peau et son cœur s'emballer. Bravo ! Elle était troublée et son émoi devait se voir comme le nez au milieu de la figure.

Mais quelle idiote ! Pas étonnant qu'aucun garçon n'ait jamais voulu flirter avec elle.

En y réfléchissant, c'était peut-être aussi parce que Michael Weston s'était coupé la langue sur son appareil dentaire en l'embrassant, un soir de fête. Par la suite, plus personne n'avait voulu s'y risquer. Non seulement l'incident était devenu un inépuisable sujet de railleries, mais il l'avait reléguée dans la catégorie des ringardes.

En fait, si. Il s'était trouvé un garçon pour lui faire croire qu'il avait envie de l'embrasser, et même d'aller jusqu'au bout. Mais, bien entendu, ce n'était qu'une mauvaise blague. Ce souvenir, à lui seul, atténuait l'horreur de sa situation présente ; car rien, rien dans toute l'histoire de l'humanité, ne pouvait être aussi monstrueux que d'avoir rendez-vous avec un garçon sous les gradins du stade pendant que tous les élèves les plus populaires de la classe, cachés dans l'ombre, attendaient le moment idéal. Celui où, après avoir baissé le corsage de sa robe de bal, son cavalier la traînerait sur la pelouse pour qu'ils lui jettent des œufs en se moquant d'elle et la photographient pour immortaliser cet instant d'humiliation suprême.

Ce genre d'incident avait tendance à vous couper toute envie de sortir avec un garçon pendant quelque temps.

Confuse, elle protesta :

— Vous comprenez ce que je veux dire, alors ne me regardez pas comme ça.

— Comment ?

— Vous savez très bien comment !

— Quant à l'enquête de personnalité…

— Quoi donc ?

— Je ne vois pas pourquoi elle poserait problème.

— D'ici là, il faudrait apprendre à être aimable.

— Et vous, à modérer votre exubérance !

— Parce qu'une personne qui aime rire et sourit tout le temps ne peut pas faire un bon parent ? rétorqua-t-elle, piquée. Moi, au moins, je ne fais pas une tête d'enterrement comme certains.

— Vous suggérez que je… suis sinistre ?

— Vous préférez « renfrogné » ?

— Ma chère, il va falloir ravaler vos sarcasmes devant l'assistante sociale et aussi vous abstenir de m'agresser à tout bout de champ, parce que je suis votre patron, rappela sèchement Dante.

— Excusez-moi…

— Et cessez de vous mordiller les lèvres comme ça ! ordonna-t-il en posant le pouce sous son menton, juste sous sa bouche.

Electrisée, Paige relâcha lentement sa lèvre, sans arriver à détacher ses yeux du beau visage et du regard hypnotique de Dante. Son cœur cognait comme un fou dans sa poitrine et des papillons affolés voletaient dans son estomac.

— Je vais essayer de me retenir, promit-elle, sans comprendre pourquoi elle lui cédait si facilement.

— Bien, approuva Dante. Et il va falloir aussi cesser de rougir comme une collégienne chaque fois que je vous approche.

— Je ne rougis pas ! protesta-t-elle, outrée.

— Jamais je n'ai vu une femme rougir autant que vous !

— Parce que je suis très pâle, et qu'avec ma carnation c'est plus difficile à cacher !

— Oui, peut-être, répliqua-t-il, dubitatif. Quoi qu'il en soit, si nous étions réellement fiancés, nous aurions depuis longtemps dépassé ce stade. Je ne pourrais plus vous faire rougir en vous effleurant. Sauf... sauf si vous étiez en train de songer au délicieux traitement que mes mains vous auraient fait subir, ajouta-t-il en contournant son bureau pour venir se planter à côté d'elle.

Sa voix avait changé, elle était plus rauque, plus haletante, et son expression s'était durcie. Jamais, au grand jamais, un homme ne l'avait regardée ainsi.

Embarrassée, Paige voulut plaisanter pour alléger la tension ambiante, briser le sortilège, mais elle s'en sentait incapable. Une part d'elle-même s'y refusait. Elle aurait aimé rester ainsi éternellement. Que Dante Romani continue à la regarder comme si elle était la créature la plus fascinante de la Terre.

— Euh... oui, je suppose, bredouilla-t-elle en baissant les yeux, mais ceux-ci tombèrent sur les belles mains de son patron, ce qui ne fit qu'accentuer son trouble. Vous dites ça pour tenir votre rôle, non ? Comme si vous jouiez la comédie et que vos pensées devaient coller au personnage ?

— En quelque sorte.

Mais, pour bien lui donner la réplique, encore aurait-il fallu qu'elle sache exactement de quoi ses mains étaient capables. Or, cela restait très flou dans son esprit.

Qu'importe ! Le sexe ne faisait pas partie de ses préoccupations du moment. D'ailleurs, après le mauvais tour qu'on lui avait joué, elle était trop échaudée pour tenter l'aventure. La peur du rejet était trop vive.

Dante prit son téléphone et composa un numéro.

— Trevor, convoquez-moi des déménageurs et envoyez-les chez Paige. L'adresse est dans son dossier. Qu'ils emballent ses effets personnels et les affaires du bébé. L'opération doit être terminée avant la fin de la journée, conclut-il avant de raccrocher.

— Vous venez de… m'expulser de chez moi !

— Pas du tout, vous conservez votre appartement pour plus tard. Parce que j'imagine que vous y retournerez.

— Bien sûr, j'aurai besoin d'un logement. Mais comment les choses vont-elles se passer dans l'intervalle ?

— Il n'y a aucune raison de rompre le bail. J'assumerai le loyer de l'appartement durant votre séjour chez moi.

— J'ai toujours réglé mon loyer rubis sur l'ongle. Il n'y a aucune raison pour que vous le fassiez à ma place !

— Puisque j'ai les moyens de payer, où est le problème ?

— Le problème, c'est que j'en suis capable.

— Cessez donc de faire l'entêtée.

— Moi ? Vous me traitez d'entêtée ? C'est vraiment l'hôpital qui se moque de la charité !

— A mon avis, notre stratagème va passer comme une lettre à la poste, observa Dante. Vu la manière dont vous me querellez, les gens finiront par croire que nous sommes mariés depuis vingt ans.

— Je vous querelle ? Ça, c'est la meilleure !

— C'est exactement ce que vous faites.

— Parce que vous m'énervez.

— Alors, vous avez intérêt à vous calmer, *cara mia*. Parce que je vous rappelle que c'est vous qui avez provoqué tout cela. Jamais je ne vous aurais couru après de mon plein gré, asséna-t-il, la faisant tressaillir. Parce que vous ne me convenez pas du tout. Et que, si l'envie de prendre femme m'avait démangé, ce n'est pas vous que j'aurais choisie !

Stupidement, Paige sentit un poignard la frapper en

plein cœur. Le souffle coupé, les paupières brûlantes, elle gémit, éperdue :

— Je… ne vous conviens pas, mais pourquoi ?

— Parce que vous trouvez que je vous conviens, moi ? riposta Dante, incrédule.

— Pas du tout ! Vous êtes mal élevé, odieux et vous ne savez pas rire, martela-t-elle en rejetant sa chevelure en arrière.

Dante attrapa au vol une mèche, la rose, et la foudroya d'un regard incendiaire.

— Et vous, vous êtes brouillonne, confuse et désorganisée. Comment pourrais-je me commettre avec une femme aux cheveux fuchsia ?

— Et moi avec un homme plus raide qu'une chemise amidonnée ! riposta-t-elle en se hissant sur la pointe des pieds.

Brusquement, Dante lui enlaça la taille et l'attira contre lui, pressant ses seins sur son torse dur comme l'acier. Saisie, elle lâcha un cri.

— Vous me trouvez trop sérieux, vous pensez que je ne sais pas m'amuser ? gronda-t-il en crispant les doigts dans son dos.

Submergée par une vague incandescente, Paige, privée de mots, ne put que hocher la tête.

— Ou… oui.

Elle tremblait comme une feuille, ses genoux menaçaient de flancher. Aucun homme ne l'avait jamais étreinte avec tant de fougue et de détermination. Aucun homme ne lui avait donné la sensation d'être autant désirée. Et surtout, aucun ne lui avait donné envie de l'embrasser alors qu'elle était furieuse contre lui.

Et pourtant, elle avait beau être révoltée par son comportement tyrannique et ruminer des pensées meurtrières à son encontre, elle vibrait de désir pour Dante.

Soudain, il la relâcha et elle recula, le souffle court. Elle le dévisagea pour tenter de déchiffrer ses pensées, avide de découvrir s'il était aussi ému et bouleversé qu'elle.

Mais pas du tout. Dante restait égal à lui-même. Jamais on n'aurait deviné qu'il venait de la serrer dans ses bras, de l'étreindre avant tant de passion qu'elle avait senti son cœur cogner contre sa poitrine.

— Désolé, mais il va falloir vous en accommoder, parce que, dès ce soir, vous habiterez chez moi, déclara-t-il d'une voix rauque.

En fait, constata-t-elle, son articulation hachée prouvait sans le moindre doute que sa maîtrise de soi était profondément ébranlée.

6.

La maison de Dante était son bien le plus cher. Le gazon impeccablement tondu et entretenu par son équipe de jardiniers était magnifique. Et la maison, avec ses lignes épurées et ses grandes baies vitrées offrant une vue incomparable sur l'océan, était un chef-d'œuvre d'architecture. Tapis, murs, ameublement, le blanc y régnait en maître.

Alors, quand Paige, perchée sur ses sandales à paillettes, franchit le seuil de son domicile, un bébé baveux dans les bras, Dante sentit une bouffée de panique le submerger à la perspective de voir ces deux trublions envahir son territoire.

— C'est incroyable… sublime, déclara la jeune femme, bouche bée. Je… n'ai jamais vu un endroit pareil.

— J'ai fait construire cette maison il y a cinq ans, peu après avoir repris les rênes de l'entreprise.

— Je soupçonne qu'elle sera plus du goût de l'assistante sociale que mon appartement.

— Probablement, répliqua-t-il en songeant à son logement étriqué. Je m'excuse à l'avance de ne pas avoir de vin en cubi à vous offrir et j'espère qu'un grand cru de ma cave fera l'affaire.

— Vous savez, personne n'aime ceux qui la ramènent trop.

— Tout dépend de ce qu'ils offrent.

— Non, tout dépend de l'argent et du pouvoir qu'ils possèdent, rétorqua-t-elle du tac au tac.

— Donc, d'après vous, mes admirateurs ne cherchent qu'à profiter de ma fortune et de ma notoriété ?

— Vraisemblablement.

— Eh bien, avec vous, mon ego en prend un sacré coup ! Vous semblez sous-entendre que personne ne souffrirait ma compagnie sans l'espoir d'en tirer des bénéfices substantiels.

— Non, ce n'est pas ce que je voulais dire... Oh... et puis zut ! J'adore votre maison. C'est tout ce qui compte, non ?

— J'imagine que l'emplacement de vos chambres importe un peu aussi.

— Nos chambres ?

— Ana disposera d'une nurserie. J'ai téléphoné à ma gouvernante pour m'assurer que toutes ses affaires y seraient installées à votre arrivée.

— Une nurserie ?

— Vous pensiez que j'allais vous reléguer toutes les deux à la cave pour préserver ma tranquillité ? répliqua-t-il, excédé.

— En fait, je ne pensais rien du tout. Mais nous devrions discuter sérieusement des questions d'organisation.

— Tout à fait d'accord. C'est pourquoi nous dînerons ensemble tout à l'heure.

— Oh !

— Et ici même, pour vous éviter des problèmes de garde. Maintenant, suivez-moi, lança-t-il en s'engageant dans l'escalier.

Il longea le couloir, écoutant le pas de Paige qui trottinait derrière lui. Soudain, n'entendant plus rien, il se retourna et vit qu'elle restait abasourdie. Etonné, il demanda :

— Qu'avez-vous ?

— Vos tableaux !

— Eh bien, quoi ?

— Ils sont si beaux. Surtout dans cet environnement immaculé. Vous avez un goût fabuleux.

— Fabuleux ? Tiens donc ! On ne m'avait pas encore accusé de ce péché.

— Eh bien, si. Dès que j'en aurai le loisir, il va falloir que je les étudie.

— Ainsi, vous aimez la peinture ?

— Je l'adore, répondit-elle en lui décochant un sourire irrésistible. Je ne suis pas seulement étalagiste. Je peins, également. Du moins, j'ai commencé à peindre, et aussi à sculpter. A l'école, c'était la seule matière qui me plaisait. Hélas, impossible d'obtenir son diplôme avec les seuls arts plastiques.

— J'imagine…

Dante était fasciné par son enthousiasme, par l'intérêt sincère qu'elle portait à ses peintures — des œuvres que lui-même ne regardait plus. Paige était si différente des gens qu'il fréquentait. Totalement transparente, elle portait sa passion, sa colère ou sa joie en bandoulière.

La jeune femme ravivait en lui des émotions qu'il n'avait plus ressenties depuis une éternité. Résultat : tout à l'heure, dans son bureau, il avait commis une erreur — ce qui ne lui arrivait jamais. En la voyant, tout feu tout flamme, tempêter contre lui, il s'était mis en colère. Pire, il avait cédé à l'impulsion irraisonnée de l'enlacer et de la serrer dans ses bras. Parce qu'elle l'avait défié, poussé à bout, jusqu'à ce qu'il perde le contrôle et rentre dans son jeu.

En fait, il s'était laissé déborder par la convoitise, le désir pur et simple, ce qui n'avait rien d'étonnant. Il n'était qu'un homme et Paige était belle. Et elle avait l'attrait supplémentaire du fruit défendu…

— La chambre d'Ana est ici, annonça-t-il, soucieux de détourner ses pensées de ce sujet périlleux.

L'espace préparé pour Ana était grand et clair. Le lit double avait été remplacé par un berceau de bois sombre ouvragé, garni de draps roses, au-dessus duquel flottait un mobile. Un rocking-chair, une commode assortie et un placard débordant de petits vêtements roses complétaient le décor.

— Oh ! souffla Paige, avant de manquer le bousculer

en se ruant dans la pièce. Ana, ma chérie, regarde ! C'est ta chambre. Une chambre rien que pour toi.

A ces mots, Dante eut le souffle coupé et sentit son cœur se serrer. La lumière dans les yeux de Paige était si belle… Jamais il n'avait rien vu de tel. Toute l'exaltation de la jeune femme semblait polarisée sur sa fille.

Qu'on puisse douter que Paige fasse une bonne mère dépassait son entendement.

S'il avait perdu sa mère très jeune, Mary Colson, sa mère adoptive, avait été une présence toujours ferme et constante dans sa vie. Elle et son mari s'étaient investis dans son éducation. Ils l'avaient orienté, guidé sur le chemin de la réussite. Il leur en était reconnaissant, car il estimait que la manière distante dont ils avaient assumé leur rôle de parents l'avait beaucoup aidé. Néanmoins, il se demanda fugitivement si quelqu'un l'avait, ne fût-ce qu'une seule fois, regardé comme Paige regardait Ana.

Aucune importance ! décréta-t-il en chassant ces pensées dérangeantes. Il n'était plus un enfant. Il n'avait que faire des sentiments. Au contraire, il les évitait comme la peste.

— Merci, dit la jeune femme en levant vers lui des yeux éblouis.

Il s'efforça de répondre avec froideur :

— Ne me remerciez pas. Si vous êtes là, c'est parce que vous m'avez mis dans le pétrin. La situation n'est que transitoire, alors veillez à ne pas trop vous attacher.

Il la vit se crisper, tandis qu'un chagrin sincère se peignait sur ses traits. Comment Paige pouvait-elle être aussi naïve ?

— Je… je sais, mais c'est si beau ! se récria-t-elle, confuse. Je ne voulais rien suggérer d'autre.

Sa tension était palpable et ses sentiments s'exprimaient avec tant de force qu'il en fut touché.

— Paige, détendez-vous et respirez à fond, conseilla-t-il, ému. Je suis désolé, ajouta-t-il comme elle levait sur lui un regard éperdu.

Sa réaction le prit de court, car il n'avait pas l'habitude

de s'excuser. Instantanément, toute la tension de la jeune femme se relâcha et son visage s'éclaira.

— La situation est étrange pour tout le monde, observa-t-elle. Rassurez-vous, je ne fais pas de plans sur la comète, je cherche simplement… à tirer le meilleur parti du moment présent. A m'accoutumer à l'idée de séjourner dans une sublime maison au bord de la mer. Ce qui, il faut l'avouer, n'est pas trop difficile.

— Vous serez peut-être moins optimiste quand vous entendrez la suite.

— Vous allez m'installer sur un lit pliant ? Ma chambre ne donne pas sur l'océan mais sur un banc de sable ou… ?

— Nous allons devoir partager ma chambre, du moins, faire semblant.

— Ce qui veut dire… ?

— Enfin, Paige, vous êtes tombée de la dernière pluie ? Si nous emménageons ensemble, nous devons faire chambre commune, partager le même lit.

Elle se mordilla la lèvre.

— Ce n'est pas évident, répliqua-t-elle. Nous ne sommes que fiancés, tout de même ! Que faites-vous des bonnes vieilles valeurs traditionnelles ?

— Qui s'en soucie, de nos jours ?

— Mon assistante sociale. Même si elle exige qu'Ana ait un père et une mère.

— Il faut donc qu'elle croie dur comme fer à notre histoire, tout comme mon personnel. La dernière chose dont j'aie besoin, c'est que l'affaire échoue à cause d'un écho dans la presse. Pas question que je devienne la risée de tous ! Si je ne peux éviter de me ridiculiser en privé, je refuse d'être humilié en place publique !

— Ce n'est pas du tout mon intention, se récria-t-elle. Bon, d'accord. Tant que je ne suis pas obligée de coucher avec vous, j'accepte de devoir fouiller dans votre dressing pour m'habiller.

Mais Dante, lui, n'y était pas prêt. Jamais il n'avait vécu avec une femme, et jamais des effets féminins ne s'étaient glissés au milieu de ses costumes. Il prisait son intimité par-dessus tout et cet aspect de leur arrangement le troublait beaucoup.

En revanche, si Paige se fichait de la place de ses affaires, une zone précise de la chambre risquait de lui poser problème. Son air contrarié l'incita à la pousser dans ses retranchements.

— Vous êtes la seule femme que je connaisse qui soit tellement horrifiée à l'idée de coucher avec moi qu'elle se sent obligée d'en parler à tout bout de champ.

Il eut le plaisir de voir ses joues prendre une belle teinte écarlate et de l'entendre bafouiller :

— Ce n'est pas… Je clarifiais seulement les choses.

— Certains pourraient penser que vous protestez trop pour être honnête, insinua-t-il en s'avançant vers elle.

Aussitôt, elle plaqua le bébé sur sa poitrine, tel un petit bouclier humain, et s'exclama :

— Quoi ? Ce n'est pas vrai ! Je proteste comme une femme qui n'a pas envie de… de flirter avec un play-boy.

— Un play-boy. Etrange étiquette ! Celle-là, on ne me l'avait pas encore collée.

— Pourtant, vous changez de maîtresse comme de chemise.

— Les femmes avec qui je sors ne sont pas mes maîtresses. Je suis très discret sur mes amours. Et particulièrement sélectif.

— Si vous êtes aussi sélectif que vous le dites, alors je n'ai rien à craindre, riposta-t-elle après s'être éclairci la gorge.

Pourquoi le défiait-elle ainsi, et l'incitait-elle à lui dire des choses désobligeantes sur son physique ? Elle savait pourtant à quel point elle était vulnérable sur le chapitre du sex-appeal.

En fait, le problème ne venait pas de son physique — enfin, pas entièrement. Et pas non plus de sa façon de s'habiller. D'ailleurs, à son arrivée à San Diego, elle avait fait de nombreuses rencontres. Mais dès que ses cavaliers devenaient sérieux, qu'ils semblaient s'attacher à elle, elle paniquait. L'idée de se faire abuser de nouveau était trop horrible. C'était pour cela qu'elle avait presque renoncé aux hommes.

Après tout, sortir était accessoire. Sa priorité, c'était de *s'en sortir*, de trouver sa voie. Et puis, qu'avait-elle à faire d'une centaine de chevaliers servants ? Elle n'en avait besoin que d'un — le bon, l'unique. Et l'homme de ses rêves n'avait rien à voir avec Dante Romani.

Et c'était tant mieux ! Parce que l'apparence était secondaire. Elle ne demandait pas à l'homme de sa vie d'avoir une mâchoire virile, une peau hâlée ou des abdominaux en béton. Inutile aussi qu'il soit la tentation incarnée en costume sur mesure. En amour, il y avait des choses plus essentielles.

Lesquelles ? Eh bien… elle finirait par trouver.

— Qu'est-ce que vous me chantez là ? répliqua-t-il.

Son expression avide, presque sauvage, était tellement éloignée du Dante Romani froid et compassé qu'elle connaissait qu'elle en resta abasourdie.

— Je… c'est évident, bredouilla-t-elle, la gorge sèche.

— Qu'est-ce qui est évident ?

— Que je… Je suis…

— Séduisante.

— Malgré ma mèche rose ? souffla-t-elle, aussi ahurie que bouleversée de l'entendre dire qu'il la trouvait séduisante.

— Elle commence à me plaire.

— Dans ce cas, je vais m'empresser de la teindre.

— Vous aimez contredire les gens.

— Je reconnais que mon esprit de contradiction atteint des sommets.

— C'est parfait, car j'aime les défis !

— Je ne suis pas un défi, s'indigna-t-elle, tellement à cran qu'elle en tremblait.

— Ah bon ?

— Non. A vous entendre, on dirait que c'est un jeu. Mais, moi, je ne joue pas. Je suis telle que vous me voyez.

— J'avais remarqué. Et loin de moi l'idée de jouer avec vous.

— C'est vrai ?

— Je ne joue jamais, répondit-il, plantant ses yeux noirs dans les siens.

— Très bien ! Parce que moi non plus.

Dante éclata d'un rire sonore.

— Vous, vous n'arrêtez pas !

— Où avez-vous pêché cette idée ? s'insurgea-t-elle en baissant les yeux sur sa fille. Entre mon travail chez Colson et les soins d'un bébé, si vous croyez que j'ai le temps de m'amuser...

— Certes non, mais ça tient à votre façon d'être. Aux choses que vous dites. Vous semblez toujours... heureuse.

Ce fut au tour de Paige de rire à gorge déployée.

— C'est possible, dit-elle quand elle eut recouvré son sang-froid. Même si j'aurais de bonnes raisons de ne pas l'être. Et vous, vous êtes heureux ?

— Je ne sais pas trop ce que ça veut dire. Disons que je suis satisfait.

Paige caressa le dos d'Ana, envahie par une vague de joie pure et de chagrin mêlés.

— Satisfait, répéta-t-elle. Et ça vous suffit ?

Parce que, pour elle, ce n'était pas assez. Plus maintenant.

— Les émotions, surtout les émotions fortes, sont dangereuses, affirma-t-il. Paige, vous ne semblez pas l'avoir compris, mais c'est indéniable.

Il y avait dans sa voix une note rauque, presque fauve, presque choquante chez Dante, toujours si calme et si posé.

— C'est la vérité que la vie vous a apprise ? demanda-t-elle, troublée.

— Non, la vérité tout court. Si on se laisse diriger par ses émotions, on perd le contrôle de soi, ce qui, pour moi, est inacceptable. Allez, venez, je vais vous montrer votre chambre.

7.

« Après avoir mis Ana au lit, rejoignez-moi dans la salle à manger pour le dîner. »

Paige effleura du doigt la note rédigée par Dante. Une note. Qui écrivait encore des notes ? Il faudrait qu'elle lui fasse découvrir les textos. Ou mieux, les échanges verbaux, quand on partageait la même maison…

En tout cas, sa chambre était charmante. D'accord, tous ses vêtements et ses affaires de toilette se trouvaient chez Dante, mais elle s'était arrangée pour récupérer une robe et du maquillage sans le croiser. Une chance, car cette longue journée l'avait fatiguée et elle ne se sentait pas à son avantage.

Heureusement, il avait suffi d'une douche et d'une minirobe pour y remédier. Fin prête, Paige s'examina dans le miroir, avant de pousser un long soupir et de sortir de la chambre. Elle longea le couloir jusqu'à la chambre d'Ana pour s'assurer que le bébé dormait bien, et ensuite dévala l'escalier quatre à quatre, impatiente et un peu anxieuse d'entendre ce que Dante avait à lui dire. Allait-il encore la taquiner, flirter avec elle ? Non, inutile de rêver. Il n'avait aucune raison de lui faire la cour.

Perdue dans ses pensées, elle trébucha sur la dernière marche et manqua dégringoler.

— Attention !

Elle leva les yeux et eut un coup au cœur. Debout dans l'embrasure de la salle à manger, Dante la fixait.

Pour chasser son malaise, elle lui adressa une petite révérence comique.

— Comme vous le voyez, j'aime les entrées en fanfare.

Puis elle se redressa, le sourire aux lèvres, en priant le ciel de ne pas rougir.

— Et vous êtes très douée, observa-t-il en s'approchant d'elle d'une démarche souple et détendue.

Comme il posait la main sur sa taille pour la guider vers la salle à manger, elle frémit à l'idée de trébucher une nouvelle fois. Non parce qu'elle était godiche — enfin, pas tant que cela — mais parce que le frôlement de sa main la faisait vaciller sur ses bases.

La découverte de la table magnifiquement dressée, avec ses chandeliers en argent et ses plateaux de hors-d'œuvre raffinés, la laissa interdite. Pendant une seconde, la fable lui parut bien réelle, et le dîner, un vrai rendez-vous galant. Mais elle se ressaisit. Il ne fallait surtout pas se laisser influencer par le décorum. Dante n'éprouvait aucun intérêt pour elle.

— Comme c'est beau, dit-elle avec une gaieté factice.

Il tira une chaise et se tourna vers elle, attendant qu'elle s'assoie, mais elle resta plantée là, à le regarder.

— Vous ne voulez pas prendre un siège ? finit-il par demander.

— Oh… euh… oui. Excusez-moi, je n'ai pas l'habitude qu'on me tire ma chaise.

Une fois assise, elle attendit que Dante ait fait le tour de la table et vienne prendre place en face d'elle pour se servir un rouleau au saumon.

— Vous désirez me parler ?

— Oui. Pour que notre couple soit crédible aux yeux des services de l'enfance et des médias, il faut que nous en sachions un peu plus long l'un sur l'autre.

— Comment souhaitez-vous que nous fassions connaissance ? demanda-t-elle en mordant dans un sushi.

— Il ne s'agit pas de faire connaissance mais d'échanger des informations personnelles. Ça n'a rien à voir.

— J'imagine que c'est moins intime.

— Exactement. D'où venez-vous ?

— De Silver Creek, en Oregon. Un bled perdu. Là-bas, tout le monde connaît tout le monde. C'est un peu comme une grande famille. Chacun est au courant des affaires du voisin.

— C'est pour ça que vous avez déménagé ici.

— Oui, je cherchais un endroit où les gens n'auraient pas d'idée préconçue sur moi. Et vous, d'où venez-vous ?

— Je suis né à Rome, et, ensuite, j'ai déménagé à Los Angeles. C'est là que… ma mère est morte, dit-il sur un ton si calme, si posé qu'il semblait répéter des mots appris par cœur. Après avoir passé quelques années dans différentes familles d'accueil, j'ai fini par être adopté par les Colson, à l'âge de quatorze ans.

— Il suffit de dénicher votre biographie sur internet pour savoir ça.

— Vous l'avez fait ?

— Non.

— Il fallait donc que je vous en informe.

— Très bien, c'est fait. Qu'ai-je besoin de savoir d'autre ?

Dante prit deux assiettes et en posa une devant elle. Paige souleva le couvercle de la sienne et un délicieux fumet de poisson vint lui chatouiller les narines.

— Mon signe astral, peut-être ?

— Je ne connais même pas le mien, s'esclaffa-t-elle. Ces trucs ne m'intéressent pas.

— Tiens ! C'est surprenant. J'aurais pensé le contraire.

— Pourquoi ?

— Parce que vous êtes… très libre d'esprit. Et que vous êtes une artiste.

— Vous avez des frères et sœurs ?

— Non. Et vous ?

Paige lutta contre la sensation de gêne qu'elle éprouvait chaque fois qu'elle était obligée d'évoquer Jack et Emma. C'était injuste, car son frère et sa sœur aînés méritaient leur succès. Non seulement ils étaient doués mais ils avaient travaillé dur. Ce n'était pas leur faute si, en comparaison, elle était le canard boiteux de la famille.

— Deux, répondit-elle. Ma sœur est pédiatre, et mon frère, quarter back remplaçant de l'équipe de Seahawks. C'est impressionnant, je sais.

— En effet. Mais, vous, comment avez-vous atterri dans l'art ?

— C'est un domaine qui m'a toujours intéressée. J'ai commencé très jeune à dessiner et à peindre.

— Vous avez étudié dans une école ?

— Non, répondit-elle en se forçant à prendre un ton léger. Je n'ai jamais aimé l'école. Ce n'était pas mon truc.

— Qu'est-ce que vos parents pensaient de votre vocation ?

— Faut-il que je m'étende sur le divan, avant de continuer ?

— C'était une question anodine.

— Eh bien, on ne peut pas dire qu'ils étaient enthousiasmés par mes centres d'intérêt. A l'école, mes notes étaient catastrophiques. Ils ont estimé que je n'avais pas le niveau pour aller en fac et ont refusé de payer pour mes études. Mais, ne vous y trompez pas, la décision a été prise d'un commun accord.

— D'un commun accord ? répéta Dante en la scrutant d'un œil inquisiteur.

— Je veux dire, j'y serais allée s'ils avaient…

— Mais ils n'ont pas voulu.

— Non.

— Devons-nous les informer de notre mariage ?

— Oh ! c'est que…, bredouilla-t-elle, décontenancée par ce brusque revirement dans la conversation. En fait, non. C'est inutile. Et puis, ils n'approuveraient pas ce que je fais pour Ana.

Un bel euphémisme. Elle entendait déjà le ton sceptique, à la fois inquiet et condescendant de sa mère.

— Ils sont contre l'adoption ? demanda Dante.

— En fait, je ne leur en ai pas parlé, éluda-t-elle avec

un haussement d'épaules. Je pense qu'il vaut mieux garder la chose pour moi tant que la procédure n'est pas définitivement réglée pour éviter des angoisses inutiles à tout le monde. Et puis, on ne sait jamais, l'adoption pourrait échouer, souffla-t-elle, la gorge nouée par l'angoisse.

— Ça va marcher, assura Dante avec une confiance inaltérable. Surtout que la presse s'en est mêlée, ce qui devrait jouer en votre faveur. Les services sociaux n'ont certainement pas envie qu'on apprenne qu'ils refusent à une mère nourricière le droit d'adopter l'enfant dont elle s'occupe depuis la naissance.

— C'est possible, mais j'aimerais bien savoir en quoi tout ça vous concerne. Qu'est-ce qui me garantit que vous n'allez pas reculer ? Vous prétendez que notre mariage favorisera vos affaires, mais, jusqu'à présent, elles ont fort bien prospéré sans moi. Je ne comprends pas pourquoi ce mariage serait soudain d'une importance capitale.

— J'ai la fibre opportuniste, répliqua-t-il en haussant les épaules. Une occasion s'est présentée et j'ai sauté dessus. Deux options s'offraient à moi : soit faire ce qu'on attendait de moi — ignorer les critiques de la presse —, soit tenter de changer la donne.

— C'est tout ? Parce que, si c'est votre seule motivation, je ne suis pas vraiment rassurée.

— Paige, il est important que vous sachiez une chose, martela-t-il en rivant son regard perçant au sien : quand je prends une décision, je m'y tiens. Je ne reviens jamais en arrière.

Dante s'était exprimé avec tant de conviction qu'elle ne put s'empêcher de le croire.

— Pourtant, rien ne vous oblige à vous lancer dans cette entreprise, rétorqua-t-elle.

— J'ai pris ma décision et je n'en changerai pas.

— Est-ce que… plaire aux médias est votre unique préoccupation ?

Avec une contrariété à peine dissimulée, Dante reposa lentement sa fourchette.

— Depuis l'âge de quatorze ans, je suis la cible des rumeurs et des suppositions les plus malveillantes. Alors, l'idée de me transformer en héros m'a semblé intéressante.

Ces attaques injustes à l'égard d'un adolescent étaient impardonnables. Pourtant, il énonçait les faits sur un ton froid et détaché, comme si le fait de changer son image publique était une expérience de laboratoire.

— Qu'a-t-on raconté sur votre compte, au juste ? demanda-t-elle.

— Que j'ai abusé les Colson pour qu'ils m'adoptent. Que je détenais des informations compromettantes sur eux. Que j'étais une taupe infiltrée par la mafia, que sais-je encore… On a même prétendu que je finirais par assassiner le couple trop confiant dans son lit. D'autres pensaient que Don Colson m'avait « importé » parce que j'étais une sorte de génie de la finance et qu'il avait besoin d'un héritier.

Ce qu'il racontait était si horrible qu'elle en frissonna.

— Mais vous, vous connaissiez la vérité ! se récria-t-elle.

Dante resta un moment silencieux, avant d'avouer :

— C'est le problème, Paige. Je ne la connais pas. Je ne connais pas les raisons qui ont poussé les Colson à me choisir, ce qui, en soi, me dépasse. Un ado asocial et récalcitrant n'a rien d'un cadeau. En revanche, j'étais brillant et j'excellais à l'école. Ceci explique peut-être cela.

Ah bon ! Lui aussi était un petit génie ! songea-t-elle intérieurement, avant de protester :

— Je suis sûre que ce n'est pas la seule raison !

— C'est possible. Il faudra, un jour, que je leur demande.

— Vous ne l'avez jamais fait ?

— Quelle importance ?

— Bien sûr, que c'est important.

— Non, pas du tout, asséna-t-il durement. Les Colson m'ont offert un avenir, une éducation hors pair, les plus belles opportunités professionnelles. Ils m'ont donné les moyens de m'en sortir — ou plutôt de réussir en beauté. Alors, ils ne me doivent rien. Aucune explication. Je possède tout ce qu'il me faut. Je n'ai pas besoin d'en savoir plus et vous non plus.

Sur ces mots, il se leva de table, abandonnant son assiette à moitié pleine.

— A demain, Paige, lança-t-il, une fois arrivé à la porte. Nous nous rendrons au bureau ensemble. Cela paraîtrait bizarre que nous arrivions séparément.

Décontenancée, elle hocha la tête en le regardant s'éloigner, puis, dès qu'il eut disparu, elle reprit sa fourchette et se remit à manger. Elle n'allait tout de même pas se coucher le ventre vide parce que Dante avait décidé de se mettre en colère et de quitter la table en la plantant là ! Pourtant, il était difficile d'oublier l'obscure intensité qui avait brillé dans ses yeux d'ordinaire si froids quand il s'était emporté.

Dante déboutonna sa chemise et s'empara d'un cintre. Il y suspendit le vêtement, boutonna soigneusement les boutons du haut et replaça le tout dans son dressing. Alors qu'il posait la main sur sa boucle de ceinture, il suspendit son geste et se rendit dans la salle de bains. Là, il se pencha sur le lavabo pour scruter son reflet dans le miroir.

Il était rare qu'il s'examine, mais cette fois il observa avec attention son image en s'interrogeant sur ce que voyaient les autres.

Avec un rire amer, il tourna le robinet d'eau froide pour s'asperger le visage. Il était parfaitement au courant de ce qu'on pensait de lui et cela n'avait aucune importance. Il s'en fichait comme d'une guigne.

Un homme forge sa destinée. S'il sait se contrôler, il est capable de contrôler tout ce qui l'entoure.

C'étaient les premiers mots que lui avait dits Don Colson quand il avait débarqué dans son nouveau foyer.

Les premiers mots de l'homme qu'il considérait comme son père, tout en s'estimant indigne d'être son fils.

Oui, le contrôle était la clé. Grâce à lui, il s'était rangé aux côtés de Don Colson, au lieu de basculer dans le camp de son père biologique. L'homme qui avait assassiné sa mère. L'homme dont le sang coulait dans ses veines.

Il coupa l'eau et retourna dans sa chambre juste au moment où la porte s'ouvrait sur Paige. A sa vue, elle s'immobilisa sur le seuil de la pièce en poussant un cri de surprise.

— Je pensais que vous… c'est que vous n'avez pas répondu quand j'ai frappé et mon pyjama est ici, expliqua-t-elle, confuse. Ce n'est pas grave, je repasserai.

Il s'aperçut qu'elle écarquillait les yeux sur son torse nu, ce qui lui procura un étrange sentiment de satisfaction. Ainsi, malgré son insistance à répéter qu'elle ne coucherait pas avec lui, Paige n'était pas insensible à son charme.

— Inutile, ne faites pas attention à moi, dit-il. Allez donc prendre votre pyjama.

— D'accord, répondit-elle en se glissant dans le dressing.

Il la regarda fouiller dans le coin qui lui était attribué et se promit de demander à la gouvernante un peu plus d'espace pour ses vêtements. Le placard était immense. Ses costumes pouvaient bien se serrer un peu pour accueillir ses robes !

La perspective de la voir empiéter sur son territoire semblait avoir cessé de le déranger. Ou plutôt, cela ne le faisait plus grincer des dents.

— Je l'ai ! annonça-t-elle en émergeant du dressing, un pantalon de flanelle et un T-shirt pressés sur sa poitrine. Alors, bonsoir. Je m'en vais.

Etonné, Dante s'aperçut qu'il n'avait pas envie qu'elle parte. Si Paige s'en allait, il resterait seul avec ses pensées qui, ce soir, étaient plus que sombres.

— Ce n'est pas ainsi que j'aurais imaginé votre pyjama, dit-il en pinçant un bout de flanelle entre le pouce et l'index.

— Ah bon ? haleta-t-elle, le souffle court, visiblement troublée par sa proximité.

Donc il ne s'était pas trompé tout à l'heure. Paige n'était pas du tout immunisée contre son charme.

— Non, j'aurais plutôt vu un déshabillé diaphane, orné de quelques paillettes, expliqua-t-il en lui effleurant la joue.

Aussitôt, elle se figea, bouche bée.

— Mais cette tenue a son charme, tout comme la robe que vous portez, murmura-t-il en prenant son visage en coupe dans ses mains.

— Dante…

— Si nous devons passer pour un couple, subir un interrogatoire en règle, vous devez être totalement à l'aise à mon contact.

— Je suis très à l'aise, chevrota-t-elle.

Sans penser aux conséquences, sans même essayer de se montrer doux ou de lui demander la permission, Dante s'empara de sa bouche. Paige était si chaude, si vivante… Il lécha le contour de sa bouche. Elle émit un petit hoquet choqué, si délicieux qu'il le fit tressaillir.

Fou de désir, il plaqua une main sur sa nuque et lui enlaça la taille. Les bras de Paige, qui serraient toujours son pyjama, l'empêchaient de sentir ses formes. Frustré, il lui arracha ses vêtements et les jeta sur le plancher. Aussitôt, elle pressa ses paumes sur son torse et il sentit un éclair de chaleur brûlante le traverser.

Cette fois, dès que sa langue frôla sa bouche, elle s'entrouvrit pour lui. Happé, Dante eut l'impression de se noyer, de se perdre corps et biens dans sa moiteur. Il la plaqua au mur et appuya son baiser, mais ses mains continuaient à s'interposer entre eux. Est-ce qu'elle cherchait à le repousser ? *Pas question !* Il ne voulait pas s'arrêter là. Il continua donc à l'embrasser, à dévorer sa bouche, jusqu'à ce que son corps s'amollisse contre lui et qu'elle se jette à son cou dans un élan désespéré. *Oui…*

Il n'y avait plus place en lui pour une pensée cohérente.

Rien n'existait que la langue de Paige qui frôlait sensuellement la sienne et ses petits gémissements de plaisir.

Ce serait un jeu d'enfant de lui ôter sa robe, de lui arracher ses sous-vêtements, puis de plonger au cœur de sa féminité pour s'abandonner et trouver la consolation dans une jouissance partagée.

Sourd aux protestations de son corps, Dante se rejeta en arrière, le cœur battant. Non, non et non ! Ce n'était pas dans ce but qu'il faisait l'amour. Cet abandon était absolument contraire à ses principes. Il ne pouvait pas se le permettre. C'était exclu.

Jamais il ne lâcherait la bride à la noirceur dissimulée dans les profondeurs de son être. Au monstre qu'il abritait en lui. Cette chose immonde qu'il haïssait de toute son âme.

— Désolé, haleta-t-il, crispé.

— Pourquoi ? balbutia Paige, éperdue.

— C'était une erreur. Ça n'aurait jamais dû arriver.

Cette perte de contrôle, ce lâcher-prise, cette désespérance étaient inexcusables, tout comme le fait d'utiliser Paige pour panser ses blessures.

— Je vois, marmonna-t-elle en se penchant pour ramasser ses vêtements avec des mouvements malhabiles et saccadés, qui trahissaient sa colère.

— Parce que vous considérez que c'était une bonne idée ? demanda-t-il, vibrant de frustration.

— Quoi ? Ah… ça ? Je ne sais pas. Ce n'était pas si grave. Juste un baiser. Rien de sérieux. Ce n'est pas comme si… Bon, je ferais mieux d'y aller, lança-t-elle, après un instant d'hésitation.

Elle se dirigea à la hâte vers la porte et la referma derrière elle.

Dante arracha sa ceinture et fonça dans la salle de bains où il ouvrit à fond le robinet d'eau froide de la douche. Il se débarrassa de ses vêtements et pénétra sous le jet glacé, laissant l'eau dégouliner sur sa peau jusqu'à ce qu'il soit transi de froid.

Il avait perdu le contrôle et devait faire pénitence. Cela n'arriverait plus.

8.

Les jours suivants, Paige s'arrangea pour éviter Dante — si tant est que ce soit possible en vivant sous le même toit et en partageant la même voiture pour se rendre quotidiennement au bureau.

Maintenant, quand elle se glissait dans sa chambre pour chercher ses affaires, elle était d'une prudence de Sioux. Non parce qu'elle avait peur de lui, mais parce qu'elle avait peur de sa propre faiblesse.

Car non seulement elle avait adoré leur baiser, mais elle sentait grandir son inclination pour lui. Or, tomber amoureuse ne faisait pas partie de ses projets. Pour elle, cela se terminait au mieux en déception et au pire en humiliation.

En soupirant, Paige se mit à fouiller dans ses boîtes de verroteries et de breloques de Noël. Elle sélectionna quelques guirlandes qu'elle transporta dans l'atelier qu'elle s'était aménagé dans un coin de son bureau.

Le soleil radieux qui illuminait la pièce était idéal pour juger de l'effet que donneraient ces accessoires dans les vitrines de chez Colson, au moment des fêtes. Elle consacrait une grande partie de l'année à la conception des décors de Noël car, chaque fois, elle devait se surpasser, concevoir quelque chose de plus grand, de plus sophistiqué que la précédente. Un challenge qui la stimulait.

Elle retourna fouiller dans une grosse boîte dont elle sortit deux sachets. Un de poudre argentée, l'autre de poudre dorée, plus quelques pierres violettes. Quand ces paillettes capteraient la lumière du soleil ou des spots, l'effet serait fantastique.

— Vous avez travaillé dur, on dirait ! lança la voix de Dante dans son dos.

Saisie, elle fit volte-face en frottant ses mains sur son jean. Une traînée étincelante se dessina sur le tissu noir.

— Eh bien, vous connaissez l'adage : travaillez, prenez de la peine, etc., répliqua-t-elle en s'efforçant de prendre un ton détaché.

— En tout cas, le résultat est là, dit-il en entrant dans la pièce. Ça me plaît beaucoup.

— Ce n'est qu'une ébauche, destinée à une des devantures latérales du magasin. Il y aura des mannequins, bien sûr, et une cinquantaine de ces mobiles suspendus à différentes hauteurs, ainsi que de la neige et un arbre de Noël. La décoration de la vitrine principale sera époustouflante. J'ai hâte de voir le résultat.

— Je vois ça. Ce sera votre troisième Noël dans la maison et tout le monde s'accorde à dire que nos vitrines n'ont jamais été plus belles.

— Merci.

— Parlez-moi un peu de la grande vitrine.

— Elle s'appellera « Rêves de dragées » et représentera un paysage féerique, avec de la brume, des glaçons et plein de lumières.

— Les décors seront identiques dans toutes nos succursales ?

— Non, j'ai prévu de légères différences, du moins pour les magasins de Paris, New York et Berlin. Afin que chaque vitrine devienne une attraction en soi.

— Vous pensez que votre budget sera suffisant ?

— Maintenant que vous le dites, un petit supplément serait le bienvenu.

— Je m'en doutais.

— C'est vous qui venez de vanter la qualité de mes créations !

— C'est vrai. De combien avez-vous besoin ?

Elle lâcha une somme de plusieurs milliers de dollars sans que son interlocuteur ne batte un cil.

— Très bien, si c'est indispensable, vous les aurez.

— Merci. Vous êtes prêt pour l'interrogatoire ? demanda-t-elle.

— Bien sûr, répondit-il sur un ton si peu convaincu que c'en était presque comique — surtout venant d'un homme à la personnalité aussi affirmée.

— Qu'est-ce qui vous préoccupe ?

— Je ne suis jamais préoccupé, *cara mia*, répliqua-t-il, le sourcil froncé.

— Jamais, jamais ?

— Non.

— Alors qu'est-ce que vous fabriquez dans les affaires ? Vous devriez donner des cours de développement personnel.

— Moi ? Je ne suis pas en position de dire aux gens comment s'aider eux-mêmes ! dit-il en s'esclaffant. J'ai simplement le don de nier les choses que je préfère ignorer.

Au moins, il fallait reconnaître que Dante ne manquait pas de franchise.

— Tiens ! Tout comme moi, remarqua-t-elle.

— Nous aurions donc quelque chose en commun ?

— Qui l'eût cru ?

— Pas moi, en tout cas. Vous pensez que cet unique point commun suffira à rendre notre couple convaincant ?

Comme il s'approchait dangereusement, elle se crispa, retrouvant aussitôt son goût sur sa langue. Envoûtée, elle ne put s'empêcher de faire un pas en avant.

C'était une folie. Il ne fallait pas qu'elle l'embrasse. Et elle n'en avait pas du tout envie. Comment aurait-il pu en être autrement, alors qu'il avait affirmé que leur premier baiser avait été une erreur ?

Dante inclina la tête de côté et la scruta intensément, avant de déclarer d'une voix enrouée :

— Il règne une certaine alchimie entre nous.

— Vous trouvez ?

— Oui et, en fait, ça nous arrange. Paige, on peut feindre

beaucoup de choses, parfois de manière très convaincante, mais notre attirance est bien réelle. Personne ne pourra la mettre en doute.

— Je ne suis pas sûre qu'un unique baiser soit une preuve d'attirance. Surtout qu'à vos yeux il s'agit d'une erreur.

— Me mettriez-vous au défi de vous prouver le contraire ? demanda-t-il.

— Certes non ! Je ne suis pas idiote.

— Non, vous ne l'êtes pas, répliqua-t-il, ce qui la surprit et lui réchauffa le cœur. Il n'empêche que vous pourriez m'inciter à vous embrasser.

— Pourquoi donc ?

— Pour la même raison qui me fait espérer que vous le fassiez. Parce que j'aimerais recommencer.

— Vous… voulez m'embrasser ? bredouilla-t-elle. Mais… La dernière fois, vous avez dit…

— Que ça n'aurait jamais dû arriver, c'est vrai. Parce que nous devons nous fixer sur nos objectifs et qu'il est difficile de se concentrer quand on roule entre les draps. Or, un baiser aussi fougueux que celui de l'autre jour conduit inévitablement dans un lit.

— Oh !

— Paige, je vais vous embrasser…

— Je ne pense pas que ce soit une bonne idée.

— Peut-être, mais nous devons passer l'entretien dans une heure, il est donc impératif qu'il ne subsiste aucune gêne entre nous, expliqua-t-il en s'approchant tellement qu'elle sentit sa chaleur, son odeur — une odeur virile d'après-rasage et de savon.

Hypnotisée, Paige fit un pas en avant en se mordillant la lèvre inférieure.

— Je suis jaloux de cette lèvre, murmura-t-il en posant l'index dessus.

Troublée, elle lécha doucement le bout de son pouce, qui avait un goût de sel — le goût de Dante. Le souffle court, elle se mit à mordiller son doigt. Aussitôt, il ferma les yeux en poussant un soupir de satisfaction.

Enhardie, elle mordit plus fort.

Dante réagit aussitôt. Il lui enlaça la taille et la plaqua contre lui. Encouragée, elle se hissa sur la pointe des pieds et l'embrassa — un geste à la fois familier, étrange et terriblement excitant.

Dante glissa sa langue entre ses lèvres. Elle lui rendit sa caresse et sentit un flot de lave déferler dans ses veines, ses seins se tendre pour implorer ses caresses et un vide se creuser en elle.

Il posa les mains sur ses hanches et l'agrippa solidement, la pressant si fort contre lui qu'elle le sentit durcir sur son ventre.

Il l'adossa contre son bureau. Quand elle fut assise sur le rebord, il lui écarta un peu les cuisses pour se lover contre elle tout en faisant courir ses lèvres sur ses joues, son cou, sa gorge…

Si seulement son étreinte avait pu durer toujours ! Elle mourait d'envie d'aller jusqu'au bout mais redoutait de lire à la fin, sur son visage, le même regret que la dernière fois.

Qu'importe ! Un baiser ne prêtait pas à conséquence. Un baiser était si agréable, si merveilleux qu'elle en redemandait.

Malheureusement, celui-ci arriva trop vite à son terme. Quand Dante se recula, ce ne fut une expression ni de dégoût ni de contrariété qu'elle déchiffra sur son visage, mais — pire encore — un beau masque lisse et impénétrable. Comme s'il ne venait pas de lui faire franchir une frontière inexplorée et de la projeter dans un monde de sensations nouvelles. Comme si le monde n'avait pas basculé — du moins, pour elle.

— Je crois que j'ai prouvé que j'avais raison, dit-il avec une suffisance exaspérante.

Elle avait envie de le gifler, de l'injurier — n'importe quoi, pourvu qu'il réagisse, car cette froideur, cette insensibilité la tuaient.

— Qu'il y a une alchimie entre nous ? Oui, merci !

répliqua-t-elle en tâtant sa lèvre endolorie. Ravie de m'être prêtée à l'expérience.

Dante remua légèrement et un éclat doré brilla sur sa veste.

— Vous pourriez vous mettre dans la lumière ? demanda-t-elle en indiquant le soleil qui entrait à flots par la fenêtre.

Il lui jeta un regard inquisiteur, mais finit par obtempérer, ce qui, en soi, était une petite victoire. Quand la lumière le frappa de face, elle explosa de rire.

— Oh ! excusez-moi, souffla-t-elle, penaude. Je suis désolée.

— Pardon ?

— Votre costume.

Intrigué, il baissa les yeux sur sa veste. Les contours de la silhouette de Paige se détachaient en doré sur son plastron. Il se mit à frotter le tissu en pestant.

— Je suis désolée ! répéta-t-elle en réprimant son rire, comme il lui décochait un regard mauvais. Mais vous brosser ainsi n'arrangera rien. La poudre d'or est une plaie. Elle s'étale partout. C'est la croix et la bannière pour s'en débarrasser.

— Merci, j'avais compris, gronda-t-il.

— C'est vous qui m'avez plaquée contre vous alors que je travaillais sagement. Il va falloir…

— Inutile, dit-il en l'interrompant, son irritation semblant s'être envolée pour laisser place à la gêne.

— Quand même, ce costume doit valoir…

— Une fortune, en effet, mais c'est sans importance…

— Bon, très bien.

Elle savait pourtant que, pour lui, ce n'était pas si anodin, car il était avec ses affaires d'une maniaquerie proche de l'obsession.

— J'ai quelques dossiers à boucler, annonça-t-il en se dirigeant vers la porte. Je vous retrouverai à la garderie pour récupérer Ana.

Il ne restait plus que quelques minutes avant l'entretien. Dante se rua hors de la douche pour s'habiller en hâte. Malheureusement, toute l'eau glacée de la terre ne semblait pas avoir endigué son désir pour Paige.

Les dents serrées, il se tourna et fit claquer sa paume sur le bois du lit, dans l'espoir que la douleur l'aiderait à recouvrer sa maîtrise de soi. Qu'elle lui rappellerait que la passion avait un prix, que rien n'était gratuit, ni sans conséquence…

Mais l'élancement dans sa main lui rappela seulement le mordillement des dents de Paige sur son pouce et la réaction de son propre corps à cette délicieuse douleur. Il ferma les yeux et frappa de nouveau. Cette fois, ce fut l'os du poignet qui heurta le bois. Saisi, il secoua sa main. C'est alors qu'il entendit un coup timide à sa porte.

— Entrez.

— Bonsoir, je me demandais si vous étiez prêt ? lança Paige, debout sur le seuil de la chambre, qui tenait Ana dans ses bras.

Toutes deux étaient habillées en rose pâle, la jeune femme en robe de soie, le bébé dans une grenouillère.

— Oui, répondit-il en passant sa main meurtrie dans ses cheveux.

— Bien. Rebecca va bientôt arriver.

Elle fit volte-face et sortit dans le couloir, le bébé pressé contre son épaule. Il la suivit et vit les petits yeux brillants d'Ana se planter dans les siens par-dessus l'épaule de Paige.

Il ne connaissait rien aux bébés et n'avait pas envie que cela change, mais ce parfait petit humain miniature semblait voir au fond de lui avec une impitoyable lucidité. Pourtant, son expression restait claire, lumineuse. Comme si ce qu'il lisait au fond de son âme ne troublait aucunement sa sérénité.

Dante réalisa soudain qu'il avait négligé un facteur

important : Ana serait présente à l'entretien et il fallait aussi qu'il soit à l'aise avec elle.

Le visage de l'enfant se plissa et elle laissa échapper un cri aigu. Paige s'immobilisa pour lui caresser la joue. Comme elle continuait à pleurnicher, elle se mit à fredonner, une douce et tendre berceuse.

Aussitôt, Dante sentit un poids lui écraser la poitrine.

Il connaissait une seule berceuse, en italien. S'il fermait les yeux, il pouvait voir sa mère, penchée au-dessus de son lit, en train de la chanter en lui caressant tendrement le front.

Stella, stellina
La notte si avvicina…

Dante secoua la tête pour chasser ce souvenir. En vain. Il s'agrippait à lui, comme pour l'obliger à revivre la scène jusqu'au bout. Sa mère si belle, si vivante, puis…

Il se domina et lança d'une voix trop dure, trop âpre :

— Dépêchez-vous un peu ! Il faut y aller.

Surprise, Paige releva la tête et lui lança un regard effarouché qui lui serra le cœur.

— Désolée, souffla-t-elle, confuse.

— Non, c'est moi, s'excusa-t-il, gêné. Je ne suis plus moi-même.

— Moi, c'est pareil, dit-elle. Si vous échouez… Si nous échouons à l'entretien, je pourrais la perdre.

Il observa le bébé en train de geindre et celle qui méritait amplement le droit d'être sa mère, puis siffla, les dents serrées, les tempes palpitantes :

— Je sais.

Oui, il était exclu qu'ils ratent l'examen. Paige ne devait pas perdre Ana. Et surtout, Ana ne devait pas la perdre. Parce, plus qu'aucun autre, il savait quel désastre cela serait.

*
* *

— Ça s'est bien passé, non ? Moi, c'est l'impression que ça m'a donné.

Paige savait qu'elle parlait pour ne rien dire, mais elle ne pouvait s'en empêcher.

L'entretien était terminé et tous deux se trouvaient sur la terrasse du premier étage. Après avoir mangé les grillades préparées par la gouvernante, ils restaient assis à table et contemplaient l'océan. A côté d'eux, Ana, allongée béatement à plat ventre sur un gros coussin, agitait les mains et les pieds.

— C'est aussi mon impression, dit Dante.

L'homme sombre et irrité qu'elle avait entrevu, tout à l'heure, dans le couloir semblait s'être évaporé à la minute où Rebecca Addler avait franchi la porte.

L'assistante sociale était totalement tombée sous le charme de son hôte, faisant fi des ragots véhiculés par les journaux.

Il fallait dire que Dante dégageait une confiance en soi absolue, et donnait l'impression que tout était simple, évident. Résultat : il avait passé l'examen haut la main. Bien mieux que Paige, en vérité. Une preuve de plus que les dés étaient pipés. Car elle avait beau aimer passionnément Ana, c'était Dante qui avait ensorcelé l'assistante sociale et l'avait mise dans sa poche.

— Eh bien, je me réjouis de vous voir si confiant, dit-elle.

— Paige, à quoi sert de s'angoisser puisque ça ne changera rien, au bout du compte ?

— Facile à dire pour vous. Cette petite… est toute ma vie.

— Je sais, dit-il avec sérieux. Et je jure que j'empêcherai qu'on vous la prenne. Quoi qu'il en coûte.

— Vraiment ? Mais pourquoi ? Pourquoi… feriez-vous ça ?

— Parce que je sais ce que c'est de perdre sa mère, expliqua-t-il. Je sais ce que c'est d'être trimballé de foyer en foyer sans que personne ne veuille de vous. Grâce à vous, la petite n'a pas connu ce calvaire. Alors, si je peux aider à le lui épargner à l'avenir, je le ferai.

Paige observa Ana et, pour la première fois, s'abandonna à la terreur qui la hantait.

— Vous croyez que je serai capable d'y arriver ? demanda-t-elle. Que je suis vraiment celle qu'il lui faut ? Dites-le-moi. J'ai si peur de tout rater !

Dante resta silencieux un moment.

— J'avoue que je ne suis pas le meilleur juge en la matière. Cependant, vous l'aimez, c'est indéniable. Et je me souviens de l'amour de ma mère. Votre affection pour Ana, la chaleur qu'elle ressent dans vos bras sont les seules choses qui comptent.

— N'empêche que j'ai toujours tout raté, marmonna-t-elle, une boule dans la gorge. Demandez à ma famille, mes profs, mes amis… Non seulement j'étais nulle à l'école, mais j'ai raté tous les événements importants de ma vie : mon premier baiser, le bal de promotion, l'entrée à la fac…

— Pas du tout, répliqua-t-il avec cette assurance qui le caractérisait. Vous faites bien votre boulot. Mieux que ça, même : vous êtes très compétente. Après la mort de votre meilleure amie, vous avez assumé à la fois votre travail et la charge d'un enfant. Combien de gens se seraient déchargés d'un tel poids sur l'Etat, Paige, dites-le-moi ? La majorité. Mais pas vous. Quand le jeu en vaut la chandelle, vous vous montrez à la hauteur de la tâche.

— J'ai tellement envie de l'adopter, je tiens tellement à elle que ça me terrifie.

— Il n'y a pas plus dangereux que les émotions. En particulier celles qui nous dépassent, nous font faire des choses dont nous ne nous serions jamais crus capables. En même temps, c'est l'amour qui vous a stimulée, qui vous a donné l'audace de prétendre que vous étiez fiancée à votre patron, qui vous a poussée à tout entreprendre, à tout oser pour Ana. Ça prouve bien son pouvoir. Paige, votre amour est si puissant que vous devez avoir confiance…

Ses paroles étaient encourageantes, mais teintées de

tant de tristesse et d'amertume qu'elles en devenaient presque accablantes.

— Et vos sentiments à vous, quel est leur pouvoir? demanda-t-elle.

— Un jour, j'ai regardé en moi-même et j'y ai vu des choses terribles, avoua-t-il, le regard voilé. Depuis lors, je ne ressens plus rien. Je puise mon énergie ailleurs. Dans le contrôle absolu.

— Dante, vous ne pouvez pas dire ça! protesta-t-elle, le cœur broyé dans un étau. Vous êtes secourable, la preuve, vous m'aidez. Quand je regarde en vous, j'y vois tant de bonté.

— C'est que vous êtes aveugle, asséna-t-il, avant de se lever et de lui tourner le dos pour battre en retraite dans l'ombre de la maison.

Mais c'était trop tard. Paige avait entrevu le vide dans ses yeux, la même froideur que quand il l'avait rabrouée dans le couloir ou embrassée dans son atelier. Elle avait pris cette expression pour un manque de sensibilité, mais, en fait, cela n'avait rien à voir. Cela camouflait autre chose. De bien pire.

Et elle avait peur d'être incapable d'aider cet homme à s'en libérer.

9.

Dante se dressa brusquement dans son lit, réveillé par un cri perçant.

Ana pleurait.

Il bondit du lit et sortit en hâte de sa chambre. Après avoir longé le couloir, il ouvrit la porte de la nurserie, projetant un rai de lumière dans la pièce. Paige, assise dans le rocking-chair, était en train de bercer le bébé qui hurlait en lui tapotant le dos.

Sa première impulsion fut de battre en retraite, mais il se domina pour demander :

— Tout va bien ?

— Non, répondit-elle, le visage baigné de larmes. Ça fait une heure qu'elle pleure. J'ai tout essayé. Je l'ai nourrie, changée, bercée. J'ai allumé la lumière, je l'ai éteinte. Je ne sais plus quoi faire.

— Je suis sûr que vous n'y êtes pour rien, dit-il en entrant dans la pièce. Parfois, les bébés pleurent sans raison. Enfin, c'est ce que j'ai entendu dire.

— Ana, jamais.

— Elle n'a pas de fièvre ?

— Je ne crois pas, répondit-elle, après avoir posé sa joue sur le front du bébé. Elle ne semble pas chaude. A votre avis ?

Incapable de toucher ce petit être si fragile et si délicat, il se contenta de répondre de loin :

— Je n'en ai pas l'impression.

Comme pour lui donner raison, Ana émit un rot qui

secoua ses minuscules épaules. Aussitôt, ses cris s'apaisèrent pour se muer en sanglots étouffés.

— Vous voyez, c'était juste un petit chagrin, déclarat-il, rasséréné.

Mais il avait l'impression de ne plus avoir la situation en main. Une nurserie était installée dans sa maison. Un bébé vivait sous son toit. Une femme aussi, qui partageait sa penderie. Il ne maîtrisait plus rien…

— Vous avez sûrement raison, murmura Paige.

Elle berça Ana jusqu'à ce qu'elle se rendorme. Elle se leva, alla la replacer dans son berceau et attendit une seconde pour voir si elle se réveillait.

— On dirait qu'elle dort à poings fermés, souffla-t-elle dans le silence de la chambre.

— Vous devriez l'imiter, dit-il, frappé par sa lassitude et sa tristesse.

Elle resserra les pans de sa robe de chambre en frissonnant.

— Non, je… je n'arriverai pas à dormir.

Emu par le désespoir qui perçait dans sa voix, Dante demanda :

— Vous avez faim ?

— Non, mais, vous auriez du chocolat ?

— Je ne sais pas il va falloir aller dans la cuisine pour vérifier. Je n'ai pas l'habitude de grignoter à des heures indues.

— C'est pour ça que vous avez de superbes abdos et moi pas, répliqua-t-elle en rivant les yeux sur son torse nu, sans chercher le moins du monde à dissimuler son admiration.

Son manque total de retenue l'amusa, tout en l'excitant. Il l'étudia à son tour avec la même intensité. Son T-shirt moulait ses seins et son pantalon de pyjama — bien trop large à son goût, car il lui dérobait ses formes — descendait bas sur ses hanches.

— Je n'ai aucun reproche à faire à votre silhouette, conclut-il à la fin de son examen.

— Vraiment ? répondit-elle en se détournant, embarrassée.

Il aurait mieux fait de se taire, car il savait qu'il jouait avec le feu, mais il n'arrivait pas à ignorer les charmes de la jeune femme. Elle le captivait, lui faisant plus d'effet qu'aucune autre avant elle.

— Tout en vous n'est que beauté, ajouta-t-il presque malgré lui.

— Vous ne m'avez pas vraiment vue, objecta-t-elle en rougissant.

— Il n'empêche, répliqua-t-il, une fois de plus, à son corps défendant.

— Non ! s'exclama soudain Paige.

Elle se rua hors de la pièce et dévala l'escalier en direction de la cuisine.

— Non ? répéta-t-il, perplexe, en la suivant.

— Vous savez aussi bien que moi que c'est une mauvaise idée.

— Et pourquoi ? Quel mal y a-t-il à badiner un peu ?

Une réflexion stupide quand, comme lui, on connaissait les dégâts qu'engendraient le sexe et la passion !

— Ce genre de badinage peut facilement dégénérer, répliqua-t-elle en fonçant vers le frigidaire. Ah ! De la glace au chocolat !

Elle brandit la boîte comme un trophée et ordonna :

— Prenez des cuillères et des bols.

— Alors, la discussion est close ? demanda-t-il, dépité.

— Oui.

Résigné, Dante leur servit deux bols de glace.

— Je ne serai peut-être pas si mauvaise mère que ça, observa Paige en savourant sa glace, quand ils furent assis, face à face, au comptoir.

— Sans doute, mais puis-je savoir ce qui vous pousse à cette conclusion ?

— En prenant ma grosse voix, j'ai réussi à vous clore le bec et à me faire servir une glace, déclara-t-elle avec un sourire sans joie, toujours aussi triste et apeurée.

— Paige, j'aimerais vous parler d'une chose, dit-il, ému par sa détresse.

En fait, il aurait préféré se taire, mais ce qu'il avait à dire était trop important.

— Vous savez quel souvenir je garde de ma mère ? poursuivit-il.

— Non...

— J'avais six ans quand elle est morte. Pourtant, je me souviens d'elle, de mon bien-être quand elle me caressait le front, de sa voix douce et apaisante, de la berceuse qu'elle me chantait pour m'endormir... Paige, l'essentiel n'est pas de tout faire à la perfection, reprit-il après s'être éclairci la gorge. Ce qui compte, ce sont tous ces petits gestes tendres, toutes ces attentions. Et vous les avez instinctivement pour Ana. Bien sûr, vous commettrez des erreurs, il n'empêche que vous serez toujours pour elle une présence solide et réconfortante. C'est tout ce qui compte.

En réalité, Dante avait bien d'autres souvenirs de sa mère. Il revoyait sa terreur quand son père rentrait du travail d'humeur massacrante. Elle se hâtait de le faire rentrer dans sa chambre et l'enfermait à double tour pour le protéger de ce qui allait suivre, empêchant son père de le maltraiter.

Il la revoyait gisant par terre, immobile, si pâle, la lumière dans ses beaux yeux disparue à jamais. Il se souvenait de s'être étendu contre elle et d'avoir chanté la berceuse en lui caressant les cheveux, jusqu'à l'arrivée de la police.

Si seulement il avait pu arracher ces images fatales de sa mémoire ! Garder le bon et oublier le mauvais. Malheureusement, c'était impossible.

— Elle devait être merveilleuse, dit Paige.

— Oui, merveilleuse...

— Moi, j'ai raté tant de choses ! gémit-elle, découragée. Je ne comprends pas pourquoi tout est si difficile pour moi. Dans mon enfance, j'avais beau me surpasser, je stagnais dans la moyenne, alors que mon frère et ma sœur obtenaient des résultats extraordinaires. Pour mes parents, je représentais sûrement… un échec.

— Vos frères et sœurs ou vos parents sont-ils des artistes ?

— Non.

— Vous croyez qu'ils seraient capables de créer d'aussi belles vitrines que vous ?

— Sans doute pas.

— Alors, pourquoi parler d'échec ? Vous réussissez autrement, c'est tout.

— Je… Vous êtes la première personne à… me dire ça.

— Pourtant, c'est la vérité. Nous ne pouvons pas être doués pour tout. Je suis incapable de concevoir des vitrines pour mes magasins, je vous ai donc engagée pour le faire à ma place.

— Plutôt, votre chef du personnel.

— D'accord, mais ce que je veux dire, c'est que je ne suis pas omniscient. Alors, pourquoi voudriez-vous l'être ? Paige, quand les circonstances l'exigent, vous êtes une battante. Le jour où l'assistante sociale vous a interrogée, votre instinct vous a poussée à protéger cette petite, à la garder avec vous à tout prix. Si ça ne prouve pas votre pugnacité et votre volonté, je me demande ce qui le fera. Vous allez obtenir la garde d'Ana, vous avez réussi !

A sa grande surprise, Paige se laissa glisser de son tabouret et vint se planter devant lui, les bras ballants et les yeux dans les siens. Puis, sans prévenir, elle prit son visage dans ses mains et pressa ses lèvres sur les siennes.

Dante se raccrocha des deux mains au comptoir et la laissa mener le jeu, régler la cadence, se contentant de boire le sel de ses larmes sur sa bouche, le souffle haletant de son chagrin sur ses lèvres.

Pourtant, il brûlait de reprendre le contrôle, de l'attirer contre lui pour l'embrasser avec toute la vigueur de sa passion refoulée. Un besoin si fort qu'il menaçait de le terrasser, mais auquel il ne pouvait se permettre de succomber.

Incapable de penser, Paige se recula, le cœur battant,

les mains tremblantes. Elle n'exigeait pas de Dante des promesses de bonheur. Elle ne lui demandait pas le grand amour. Elle ne voulait pas le remercier. C'était autre chose qui la poussait vers lui. Un besoin si cru, si élémentaire qu'elle en était bouleversée.

— Je te veux, souffla-t-elle en s'emparant de nouveau de sa bouche.

Le silence qui suivit sembla durer éternellement. Dante allait la rejeter. Qu'importe ! C'était la première fois qu'elle se sentait prête à tenter sa chance. Comme si elle était soudain libérée de ses entraves.

Il sauta à son tour de son siège pour l'emprisonner dans ses bras et demanda :

— Tu veux simplement m'embrasser ou aller plus loin ?

— Plus loin…

— Je veux que tu le dises, exigea-t-il sur un ton impérieux.

— Je veux… coucher avec toi ce soir, dit-elle, aussitôt honteuse d'avoir prononcé ces paroles. Sauf si tu n'en as pas envie ?

— Comment peux-tu croire une chose pareille ? répliqua-t-il, sincèrement offusqué.

— Je suis une fille banale, tu te souviens ?

— Je n'ai jamais rencontré une femme comme toi, jamais, affirma-t-il en s'emparant de sa mèche rose.

— Tu me veux vraiment ? souffla-t-elle, éberluée.

— Navré que tu aies tant de mal à y croire, mais tu en auras la preuve avant la fin de la soirée.

Il l'embrassa avec fougue, puis glissa la main dans son pyjama et caressa ses fesses. Aussitôt, Paige fut saisie de frissons. Moite de désir, elle se plaqua contre lui et murmura :

— Il faut trouver un lit…

— Inutile, gronda-t-il en plongeant la tête dans son cou.

— Si, il le faut. Je manque un peu… d'expérience, bredouilla-t-elle, refusant d'avouer qu'elle était vierge — même la tête sur le billot, elle était résolue à ne jamais prononcer ce mot. J'ai besoin de faire les choses dans les règles de l'art. D'y aller en douceur. Et puis, j'ai peur de tomber.

Dante s'immobilisa pour la scruter de son regard de braise.

— Je ne te laisserai pas tomber.

— Je sais. Mais… quand même.

Il hocha la tête et la souleva dans ses bras. Surprise, elle s'agrippa à son cou, pendant qu'il l'emportait hors de la cuisine. Après avoir monté l'escalier quatre à quatre, il la déposa au pied de son lit et demanda :

— Celui-ci fera-t-il l'affaire ?

— Oui, répondit-elle, la gorge sèche. Maintenant, viens m'embrasser. Je promets de ne pas te couvrir de paillettes.

— Vos désirs sont des ordres, répondit-il en lui caressant la joue.

Il l'embrassa avidement, puis lui arracha son T-shirt. L'air froid caressa la poitrine de Paige, qui n'eut pas le temps d'éprouver de la honte, car il la plaqua sur son torse. La chaleur de sa peau gagna instantanément sa chair, tandis que ce contact faisait s'ériger ses tétons.

Impatient, Dante tira sur son pantalon de pyjama, qui tomba avec son slip à ses pieds. Elle aurait voulu lui rendre la pareille, mais, soudain, ses mains étaient comme ankylosées. Et puis, elle ignorait si elle devait prendre des initiatives, s'il appréciait qu'une femme le déshabille. Dante était si beau, si parfait… Aussi parfait que cet instant, qu'elle ne voulait pas gâcher.

Heureusement, son compagnon résolut son dilemme en se déshabillant tout seul. Ensuite, il disparut dans la salle de bains dont il ressortit armé d'une virilité impressionnante et d'une boîte de préservatifs.

Les statues antiques ne rendent vraiment pas justice à la beauté masculine, en tout cas pas à celle de Dante, songea Paige, qui n'avait jamais vu un homme nu de sa vie.

— J'ai envie de te toucher, dit-elle, éberluée par sa propre audace.

Mais, depuis qu'ils étaient entrés dans la chambre, toute

son anxiété s'était évaporée et elle se sentait sûre d'elle, un sentiment nouveau. Ils étaient nus, prêts à partager le contact le plus intime que deux êtres puissent échanger. Il n'y avait plus de place pour la peur, la honte ou l'embarras.

— A ta guise, répondit Dante d'une voix rauque.

Elle fit courir ses doigts sur sa peau, puis suivit la ligne sombre qui se dessinait sur son ventre.

— Que veux-tu que je fasse ?

— Ça.

— Que je te touche, c'est tout ?

— Oui, murmura-t-il.

— Comme ça ?

Elle le serra légèrement entre ses doigts, aussitôt récompensée par un gémissement de plaisir.

— Oui.

— Plus fort ?

— Seulement si tu veux que je jouisse tout de suite, hoqueta-t-il en retenant sa main.

— Non. Je te l'interdis.

— C'est bien ce que je pensais, répliqua-t-il en capturant ses lèvres et en se laissant tomber sur le lit avec elle.

Paige lui encercla les hanches et pressa ses hanches contre l'érection de Dante, ce qui fit naître des ondes de chaleur torride dans tout son être. Comme Dante relevait la tête pour prendre un de ses tétons dans sa bouche, elle s'agrippa à ses épaules avec un gémissement sauvage et planta ses ongles dans sa peau en suppliant :

— N'arrête surtout pas…

Il se mit à embrasser ses seins avec art, l'amenant au bord de la folie, puis sa bouche traça un chemin jusqu'au cœur palpitant de sa féminité. Quand sa langue caressa son bourgeon, elle se cambra convulsivement sur les draps, secouée par des ondes de volupté inouïes, mais il la retint par les hanches et continua sans se soucier de ses tremblements et de ses balbutiements éperdus.

Soudain, il la lâcha et ses doigts vinrent en renfort de sa langue. Le monde explosa derrière les paupières de

Paige. Enveloppée dans un voile de lumière et de chaleur, elle s'abandonna aux vagues successives du plaisir qui déferlait en elle…

Dante, manifestement satisfait, s'agenouilla entre ses cuisses après avoir prestement enfilé un préservatif. Quand il la pénétra, Paige tressaillit, saisie d'une brève et fulgurante douleur. Inquiet, Dante s'immobilisa, mais elle secoua la tête pour le rassurer. Alors, il s'enfonça plus profondément encore en elle et, très vite, les ondes du plaisir lui firent oublier la douleur, qui finit par disparaître.

Dante reprit ses assauts, sur un rythme régulier qui fit bientôt renaître la tension dans son corps. Une tension plus profonde, cette fois, plus dévastatrice, éveillant en elle des appétits nouveaux, un désir décuplé.

Bientôt, les contours de la chambre semblèrent se dissoudre dans un brouillard et elle ne vit plus que son amant.

Ses mouvements se faisaient frénétiques et, tout comme elle, il perdait le contrôle. Redoutant d'être submergée par la jouissance, Paige se raccrocha désespérément à lui, comme un noyé à une bouée de sauvetage… Et, quand ils s'envolèrent, ce fut ensemble, dans un même cri d'extase.

Soudain, les muscles de son compagnon se tétanisèrent. Il poussa un long soupir et s'abattit sur sa poitrine. Comblée, elle le pressa sur son cœur.

Elle ne voulait ni parler, ni bouger, ni affronter la réalité.

Elle savait qu'elle devrait le faire.

Mais pas tout de suite.

10.

Une vierge. Il avait couché avec une vierge !

Dante ne cessait de s'accabler. Il avait laissé Paige conduire la partition sans réaliser qu'elle ne connaissait rien à la musique. Pourtant, il aurait dû s'en douter. Il suffisait de voir son regard candide, sa rougeur, son ignorance absolue de son pouvoir de séduction pour le deviner.

— Bon sang, Paige ! maugréa-t-il.

— Oh ! non, je t'en prie, ne t'énerve pas, gémit-elle en s'enfouissant sous les couvertures.

Est-ce qu'elle comptait passer la nuit dans son lit ? Pas question ! Il ne dormait jamais avec ses maîtresses. Elles ne mettaient même pas les pieds chez lui. Il les retrouvait à l'hôtel.

— Je n'ai pas le droit de m'étonner parce que tu m'as caché que tu étais vierge ?

— Je sais, c'était stupide, dit-elle en émergeant des draps. Mais je savais ce que je faisais. Je t'ai dit que j'avais envie de toi. Je voulais que tu sois le premier...

— Paige, je ne... je n'ai rien à t'offrir, soupira-t-il en s'asseyant au bord du matelas.

— A part un mariage temporaire pour m'aider à obtenir la garde de ma fille, avec quelques orgasmes en prime ? C'est ça que tu veux dire ?

— Paige...

— Dante, reviens au lit.

— Non, je... Je dois y aller, lança-t-il en se levant. J'ai

des choses à faire. Si tu veux rester dormir, à ta guise, mais moi, j'ai du travail !

Il se pencha pour récupérer ses vêtements et quitta la chambre sans un regard en arrière.

Paige ouvrit les yeux. Aussitôt, elle plissa les paupières, agressée par la lumière qui filtrait à travers les rideaux. Sa première pensée fut qu'elle n'avait pas entendu Ana.

La suivante, qu'elle dormait nue. C'était bizarre. D'habitude, elle portait toujours un pyjama.

Bien sûr ! Maintenant, elle se rappelait : Dante, ses mains, sa bouche, son corps...

Cet homme était la virilité incarnée. Pas étonnant qu'il l'ait toujours fascinée. Instinctivement, elle avait dû pressentir qu'il saurait la combler au-delà de ses espérances.

Soudain, la porte de la chambre s'ouvrit à la volée et l'objet de ses pensées entra, dans la même tenue que la veille.

— Bonjour...

— C'est le matin ! annonça Dante sur un ton rogue, avant d'ôter sa chemise.

Avec un petit frisson délicieux, Paige savoura la vision de sa peau dorée et de ses muscles lisses. Dire que, la nuit dernière, cet homme sexy, cet homme fabuleux avait été tout entier à elle. Qu'il l'avait désirée, elle.

— Oui, c'est le matin, répéta-t-elle, avec une gaieté factice, au risque de l'exaspérer.

— Tu te sens bien ? demanda-t-il en l'observant d'un œil aiguisé.

Elle s'assit dans le lit et remonta les couvertures sur sa poitrine.

— Euh... oui... très bien.

— Allons, Paige, ne fais pas l'innocente. Tu sais ce que je veux dire.

Comme il ôtait son pantalon, elle sentit son cœur

chavirer et regarda ses fesses à la dérobée pendant qu'il fouillait dans son dressing en envoyant valser ses affaires.

— Tu veux savoir si je suis mécontente que tu m'aies laissée tomber après l'amour ? s'enquit-elle. Oui, un peu.

— Tu réponds à côté de la question.

— Si je regrette d'avoir fait l'amour avec toi ?

— Oui.

— Je t'ai dit et répété que j'en avais envie.

— Je sais, mais c'était avant…

— Ce n'est pas parce que j'étais vierge que je suis une oie blanche, répliqua-t-elle, piquée.

— Tu ignorais ce que tu ressentirais.

— Je me suis sentie comblée et heureuse. Enfin… jusqu'à ce que tu me plantes là pour aller travailler.

— Donc… je n'ai pas déçu tes attentes ?

— Pas du tout. Et si tu arrêtais de me traiter comme une gamine, ou une étrangère qui squatte ta chambre, nous pourrions passer des moments fort agréables.

Hors de lui, Dante fonça jusqu'au lit et s'appuya des deux mains au matelas :

— Parce que tu t'imagines que ça va continuer comme ça ? martela-t-il. Que nous allons entretenir une liaison durant ton séjour chez moi ? C'est ce que tu crois ?

— Oui, pourquoi pas ? répliqua-t-elle en haussant les épaules, résolue à ne pas céder à l'intimidation. Hier soir, c'était amusant.

— Amusant ? répéta-t-il d'une voix blanche.

— Je n'arrive pas à croire que j'aie pu attendre aussi longtemps ! En fait, si. C'est un peu embarrassant à expliquer, mais au lycée j'ai écorché la langue d'un garçon avec mon appareil dentaire.

— Tu as… écorché sa langue ?

— Oui, à cause des bagues. Il faut dire qu'il m'embrassait comme un chiot énamouré. Tu te débrouilles bien mieux que lui.

— Merci, répliqua-t-il sèchement.

— De rien. A cause de cette histoire, je suis devenue

la risée de l'école. Et puis… un jour, le garçon le plus populaire de la classe m'a invitée au bal de promotion. Tu t'imagines ? J'ai dit oui, bien sûr. D'autant qu'il m'a expliqué qu'une couverture et des boissons nous attendraient sous les gradins après le bal et que ça signifiait que… Tu comprends ce que je veux dire. A cause de ce baiser calamiteux, aucun garçon ne m'avait regardée depuis deux ans et enfin… j'allais le faire.

— Manifestement, ce n'est pas ce qui est arrivé, observa-t-il.

— Oui, parce qu'en réalité il avait d'autres projets.

— Lesquels ?

— Je ne sais pas pourquoi c'est si dur d'en parler, souffla-t-elle en se mordant les lèvres pour tenter de refouler les larmes qui lui montaient aux yeux. Eh bien, nous nous sommes glissés dans le stade, puis sous… les gradins. C'était le bal de promotion, donc… Tu sais bien.

— Oui, je sais.

— Tout se passait à merveille. On s'embrassait et je ne lui avais pas encore fait mal. Il a commencé à dégrafer ma robe… puis, soudain, il m'a saisie par le bras et m'a traînée sur le terrain. Les projecteurs se sont allumés et tout un groupe de mes copains de terminale s'est rué sur nous pour me jeter des œufs et me tourner en ridicule. Ils m'ont photographiée, à demi nue, essayant vainement de me couvrir, et ensuite ils ont imprimé des tracts qu'ils ont distribués à tout le monde. Je ne comprends toujours pas comment tout cela a pu se produire. D'ailleurs, une fille m'a dit plus tard : « Tu ne croyais tout de même pas qu'il t'avait emmenée là-bas pour sortir avec toi ? »

Paige se mordit la lèvre et essuya la grosse larme qui roulait sur sa joue.

— Eh bien, si ! J'y avais cru, reprit-elle. Mais c'était bien la dernière fois. Surtout que les autres n'arrêtaient pas de rire de cette histoire… comme si c'était la meilleure blague de tous les temps. Alors je me suis forcée à en rire à mon tour, pour qu'ils n'imaginent pas à quel point j'étais blessée… Ça, c'était hors de question !

— Mais tu es partie loin de ces gens pour venir jusqu'ici. Pourquoi ne pas avoir réessayé ?

— Pour prendre le risque de me faire rejeter de nouveau ? N'oublie pas que tout le lycée s'était moqué de mon physique.

— Je ne vois pas ce qu'on peut lui reprocher.

— Peut-être, mais ils ont dit que j'étais moche… et ça, au lycée, ça ne pardonne pas.

— Paige, pourquoi as-tu couché avec moi ?

— Tu avais envie de moi, répondit-elle simplement.

— C'est tout ? demanda-t-il, une lueur horrifiée dans les yeux. Parce que tu pensais que j'étais le seul ? Tes copains devaient être de sacrés imbéciles, car je ne peux pas imaginer qu'un homme n'ait pas envie de toi. Alors, j'espère sincèrement que ce n'était pas l'acte désespéré d'une fille qui s'imagine que c'est son unique chance.

— Non. Pas du tout. Bien sûr, j'étais consciente que tu me désirais, mais de mon côté… j'avais une envie folle de toi. Si forte que j'étais prête à prendre tous les risques, même celui d'être repoussée — ce qui ne m'était plus arrivé depuis le lycée. Alors, ça m'a paru une raison suffisante pour me lancer.

— Et maintenant que tu as pu constater que je n'ai rien d'un amant tendre et attentionné, tu ne regrettes rien ?

Une petite voix aiguë empêcha Paige de répondre.

— Ah, Ana est réveillée ! s'exclama-t-elle, joyeuse. Ce n'est pas trop tôt. Euh… tout à l'heure, c'était différent, mais maintenant je me sens un peu mal à l'aise, ajouta-t-elle en considérant la glorieuse nudité de son compagnon, puis ses seins cachés sous la couverture.

— De quoi ?

— De me promener nue devant toi.

— N'aie crainte, je vais me doucher. Ta pudeur ne risque rien.

Dès que Dante eut refermé la porte de la salle de bains,

Paige courut à l'armoire, enfila un T-shirt et un jogging à la hâte et se précipita dans le couloir.

— Bonjour, ma chérie ! lança-t-elle en entrant dans la chambre du bébé.

Elle sortit Ana de son berceau et alla l'installer dans son siège pendant qu'elle préparait son biberon. Puis elle la reprit dans ses bras et s'assit pour la nourrir. Penchée sur le bébé qui tétait avidement, elle sourit, attendrie devant son visage béat, ses yeux grands ouverts et ses petits poings serrés.

— Respire un peu ! dit-elle au bout d'un moment, en lui retirant le biberon, ce qui lui valut un couinement indigné.

Elle pressa Ana contre son épaule et lui tapota le dos jusqu'à ce qu'elle lâche un rot.

— Maintenant, tu peux boire le reste.

Sur ces entrefaites, Dante pénétra dans la cuisine en annonçant :

— Ma gouvernante est absente ce week-end.

— Pas de problème, répondit-elle. Je me contenterai de corn flakes.

— Je peux t'en préparer.

— Ce n'est pas sûr. Hier soir, tu ne savais même pas si tu avais du chocolat.

— Si, j'ai ce qu'il faut. Je peux même en servir deux bols et petit-déjeuner avec toi, ajouta-t-il avec l'air d'évoquer un supplice chinois.

— Ne te sens surtout pas obligé.

— J'y tiens.

— Pourquoi ? Tu considères que c'est une obligation, parce que j'étais vierge ?

— Oui. Surtout, ne proteste pas. C'est la première fois que ça m'arrive, alors permets-moi d'apaiser ma conscience.

— Bah, inutile de la torturer pour si peu !

— *Dio*, Paige ! protesta Dante, outré. Tu es obligée de dire des choses pareilles ?

— Tu sais bien que je dis tout ce qui me passe par la tête…

Il posa un paquet de céréales devant elle.

— Je m'en souviens, oui…

— Je prendrais bien du café, lâcha-t-elle, espérant qu'un peu de caféine l'aiderait à supporter le manque de sommeil — et les scrupules de son compagnon.

— Je ne fais pas de café.

— Ah bon ? s'exclama-t-elle, excédée, en lui tendant Ana. Tiens, prends-la.

— La prendre ?

— Pour que je puisse m'en charger à ta place.

Dante recula d'un pas pour se recomposer un visage impassible et proposa :

— Sortons.

— Pardon ?

— Oui, sortons tous les trois. Cela fera une belle photo de promotion dans la presse, non ?

— Je… suppose.

— Va donc te préparer.

— D'accord, soupira Paige, qui se leva et prit Ana dans ses bras pour remonter dans sa chambre.

Après le petit déjeuner, Dante s'enferma dans son bureau pour éviter, autant que faire se peut, ses deux pensionnaires. Mais peine perdue ! Paige et Ana semblaient se trouver partout à la fois : dans la cuisine, sur la terrasse, dans le salon…

Finalement, le besoin de prendre l'air le poussa à sortir en catimini de son bureau. Il devait être tard, car la maison était plongée dans la pénombre. Dieu merci ! Le calme régnait enfin.

Comme il pénétrait dans le salon pour rejoindre la terrasse, il s'arrêta net. Etendue sur une chaise longue, Paige berçait Ana, enveloppée dans une couverture. Malgré la vitre fermée, il l'entendait chantonner.

Le souffle coupé, incapable de bouger, il la regarda

caresser la tête du bébé, touché au cœur par son expression si aimante et sereine qui ranimait en lui le souvenir poignant d'une autre berceuse.

Sans demander son reste, il tourna les talons et remonta l'escalier quatre à quatre, avec la sensation d'avoir totalement perdu la maîtrise de ses émotions.

Arrivé dans sa chambre, il frappa le mur avec sa paume, mais la douleur ne suffit pas à endiguer le flot de sentiments qui le submergeait. Furieux, il lança le bras en arrière et heurta si violemment le mur qu'il imprima un creux et une trace sanglante sur la surface immaculée. Hébété de douleur, il regarda sa main, puis fixa les dégâts.

Cette marque sur le mur était la preuve tangible de ce qui se passait quand il perdait le contrôle de lui-même.

Il étouffait. Ayant soudainement besoin d'espace, il décida d'aller passer la nuit dans son bureau en ville afin d'échapper au spectacle de ce bonheur domestique qui le renvoyait à cet amour dont il avait été trop tôt privé.

Un peu de distance. C'était tout ce dont il avait besoin pour reprendre la situation en main.

11.

Il était 23 heures, Ana s'était enfin endormie et Paige évitait soigneusement Dante. Ce qui ne rimait pas à grand-chose, car lui-même n'avait cessé de la fuir depuis le petit déjeuner de la veille. Après avoir passé la journée enfermé, il s'était éclipsé vers 22 h 30, laissant une note pour expliquer qu'une urgence l'appelait au travail. Un vendredi soir, en pleine nuit ! Et, aujourd'hui, elle l'avait à peine croisé.

A présent, il était de nouveau cloîtré dans son bureau. Ignorant à quoi s'attendre quand elle le reverrait, elle se sentait perdue et plus seule que jamais.

Au bout d'un moment, une furieuse envie de glace au chocolat l'incita à sortir de sa chambre. Elle descendit l'escalier sur la pointe des pieds et se rendit dans la cuisine.

— Je te cherchais...

Saisie, elle se retourna et referma brutalement la porte du congélateur, oubliant la glace à l'intérieur.

Dante se tenait devant elle en bras de chemise et les cheveux ébouriffés. A part ça, il était toujours aussi soigné avec son nœud de cravate et sa chemise bien tirée dans son pantalon blanc. Elle éprouva l'envie subite de le secouer, d'ébranler cette surface lisse et impénétrable pour révéler l'homme qu'il était vraiment.

Parfois, elle l'avait entraperçu, quand Dante avait parlé de sa mère ou s'était inquiété de son bien-être après qu'ils avaient fait l'amour. Dans ces moments-là, il avait laissé affleurer des sentiments : de la tendresse et même de l'amour

107

à l'évocation de sa mère. Sentiments où se mêlaient une tristesse et une angoisse qui lui avaient serré le cœur. La même angoisse que quand il les contemplait, Ana et elle. Obscure, insondable…

Malheureusement, chaque fois, il s'était empressé de camoufler son émotion et de reprendre le contrôle avant qu'elle ait eu le temps d'aller plus loin.

Elle se sentait obligée de creuser la question, de tout mettre au jour : le meilleur comme le pire, comprenant qu'elle ne pourrait jamais atteindre le bon chez lui sans se confronter au mauvais, l'exposer en pleine lumière. Quelques jours plus tôt, elle aurait rejeté cette idée, car Ana représentait le centre de son univers, mais, à présent, Dante commençait à occuper une place de plus en plus importante dans son monde. Il était déjà inextricablement lié à sa propre existence.

Ce qui c'était terrifiant.

— Tu dois être allé travailler parce qu'on est samedi et que tu portes une cravate, observa-t-elle.

— Paige, j'ai un métier très exigeant.

— Qu'est-ce que tu fais pour t'amuser ?

— Ce soir, une chose précise me vient à l'esprit, dit-il en avançant vers elle.

— Ah, oui ! Manger de la glace au chocolat, j'imagine, bredouilla-t-elle en se tournant vers le congélateur pour cacher son trouble.

Elle rouvrit la porte et inspecta le contenu dans le but d'alléger la tension qui régnait entre eux.

— Pas du tout, répliqua-t-il en notant les efforts de la jeune femme pour l'ignorer.

Paige faisait sûrement le bon choix en tentant de nier l'incendie qui les consumait, de réprimer cette attirance irrépressible. Des deux, c'était elle la plus avisée.

Toute la journée, il avait tenté de l'imiter en alternant travail et séries de pompes et d'haltères jusqu'à l'épuisement, dans l'espoir que la douleur physique jugule le violent désir qui s'était emparé de lui dès sa sortie du lit.

Quand il l'avait abandonnée après l'amour, alors qu'il aurait voulu la posséder encore et encore...

Il vint se placer derrière elle, s'appuya d'une main à la porte du congélateur, puis repoussa ses cheveux sur le côté et lui embrassa la nuque en murmurant :

— Paige, ne m'ignore pas, je t'en prie.

Elle frissonna au contact de ses lèvres.

— Je ne t'ignorais pas.

— Si, tu essayais d'ignorer ça, alors que tu sais aussi bien que moi que c'est impossible, riposta-t-il en suivant la courbe de son cou du bout de la langue.

— Non, je n'en sais rien. Peut-être parce que je suis trop naïve et stupide pour le savoir.

Furieux, il la saisit par les hanches et la plaqua sur son ventre.

— Paige, n'essaye pas de mettre de la distance entre nous.

— Je... D'accord.

— J'ai eu toute la journée pour réfléchir et je suis arrivé à la conclusion que, même si tu étais vierge, tu savais ce que tu faisais. Alors, je te le demande : qu'est-ce que tu veux ?

— De la glace.

— Non. Trop gluant. En revanche, ce petit cube est plein de ressources, dit-il en s'emparant d'un glaçon qu'il tint au-dessus de l'épaule de sa compagne.

Au bout de quelques secondes, la gouttelette tomba dans le creux de son cou et coula sur sa peau pâle. Comme il se penchait pour effacer la traînée humide avec sa langue, Paige, chancelante, se retint de la main au congélateur et souffla :

— Ça, je n'y aurais jamais pensé. Je dois être plus candide que je l'imaginais.

Dante, qui avait l'impression de marcher sur le fil du rasoir, pressa le glaçon sur son cou, puis l'ôta pour déposer un baiser brûlant sur sa peau glacée.

— Tu veux que j'arrête ?

— Non, surtout pas.

— C'est la réponse que j'espérais, souffla-t-il en agrippant son T-shirt.

Elle leva les bras pour l'aider à la débarrasser du vêtement. Dès qu'elle se retrouva à demi nue, il la fit pivoter et referma le congélateur.

Les yeux dans les siens, Paige dégrafa son soutien-gorge, lui exposant ses petits seins parfaits aux tétons érigés par le froid et l'excitation. Il fit glisser le glaçon le long de son épaule. Des gouttes ruisselèrent sur les rondeurs de sa poitrine, tandis que ses mamelons prenaient une nuance plus sombre. Il se pencha pour titiller un sein et prit le bourgeon tendu entre ses lèvres, traversé par un frisson de désir brut qui fit s'emballer son cœur.

— C'est bon ? demanda-il, comme elle se cambrait vers lui avec un gémissement étranglé.

— Oh ! Oui !

Satisfait, il se redressa et frotta ses lèvres avec le glaçon, avant de l'embrasser avec passion. La bouche de Paige était glacée, sa langue, brûlante.

Pour Dante, le sexe était strictement utilitaire et, n'ayant jamais pratiqué de jeu érotique, il était surpris de découvrir à quel point cela pouvait être excitant.

Il s'arracha à sa bouche et glissa le glaçon entre ses lèvres entrouvertes afin qu'il fonde sur sa langue.

Paige se pencha et fit courir sa langue glaciale sur ses pectoraux. Cela ne le rafraîchit pas. Au contraire, le brasier qui le dévorait s'aviva encore et la lave en fusion qui courait dans ses veines assécha instantanément la trace humide déposée sur sa peau.

Avec un sourire coquin, Paige rouvrit le congélateur pour s'emparer à son tour d'un glaçon, puis elle déboutonna sa chemise à la hâte et le pressa sur sa poitrine.

Dante tremblait, le corps en proie au désir impérieux de plonger en Paige, de s'unir à elle, de se perdre dans son corps et de s'y consumer.

Ayant brusquement abandonné toute maîtrise, il la repoussa contre la porte du réfrigérateur et se mit à dévorer

sa bouche, emprisonnant sa main gelée pour la plaquer
sur son torse. Mais elle la libéra et, dans son dos, arracha
sa chemise du pantalon, avant de faire glisser la chemise
sur ses épaules et de la jeter au sol sans qu'il émette la
moindre protestation.

Fou de désir, Dante retira son slip et attira Paige à lui.
Aussitôt, Paige encercla ses hanches dans l'étau de ses
cuisses et noua ses mains autour de son cou. Doucement, il
l'adossa au mur le plus proche, puis déboucla sa ceinture,
ouvrit son pantalon et la pénétra avec un soupir de béatitude.

— *Dio, yes!*

Après avoir savouré un instant sa tiédeur, sa douceur,
sa moiteur, il donna un violent coup de reins.

— Ça va ? s'enquit-il, comme elle écarquillait les yeux.

Pour toute réponse, Paige se mordit la lèvre et hocha
la tête. Soulagé, Dante cessa de réfléchir. Toutes ses
pensées refluèrent pour laisser la place aux sensations.
Des sensations de plus en plus fortes, de plus en plus
dévastatrices qui culminèrent dans un orgasme ravageur
et presque douloureux.

Pantelant, il serra Paige contre lui avant de se laisser
tomber à genoux devant elle, les deux mains appuyées
au mur.

Puis, brusquement, il s'écarta d'elle en lançant :

— Il faut que j'aille prendre une douche…

Il fallait qu'il s'échappe, qu'il la fuie. Ce besoin était
plus pressant encore que la dernière fois.

Abandonnant Paige nue contre le mur de la cuisine, il
s'éloigna à grands pas, sans tenir compte du regret lanci-
nant qui lui mordait le cœur.

Paige ramassa ses vêtements, s'habilla puis, machinalement, alla se servir un bol de glace. Elle était trop
ébranlée pour affronter Dante.

Après lui avoir fait… des choses qu'elle n'aurait jamais

imaginées dans ses fantasmes les plus débridés, l'avoir incitée à faire de même avec lui, Dante lui avait tourné le dos. Sans qu'elle comprenne pourquoi.

Perplexe, elle se leva et alla déposer son bol dans l'évier, avant de remonter à l'étage. Où aller ? Dans sa chambre ou dans celle de Dante ?

Bien sûr, ils avaient décidé de faire chambre commune durant son séjour chez lui, mais sa réaction, l'autre soir, montrait clairement qu'il n'appréciait guère de partager sa couche. Tant pis ! Il allait devoir faire des concessions, parce qu'il n'était pas question qu'elle se glisse dans sa chambre comme une voleuse...

D'autant plus qu'elle sentait naître en elle une confiance nouvelle. Confiance renforcée par la conviction d'avoir acquis un certain pouvoir sur son compagnon. Cet homme la voulait. Il la désirait. Et, elle avait beau chercher à ménager son cœur — si c'était encore possible — à présent, elle aussi savait ce qu'elle voulait. Il faudrait bien que Dante en tienne compte.

Or, bien que novice en la matière, elle soupçonnait que s'endormir ensemble était aussi agréable que de faire l'amour. Aussi, prenant son courage à deux mains, elle entra dans sa chambre sans frapper, pour constater aussitôt que Dante n'y était pas. L'eau coulait dans la salle de bains, mais, étrangement, aucun nuage de vapeur ne flottait dans la pièce, alors que cela faisait quelques minutes déjà qu'il devait être sous la douche.

Intriguée, elle entra dans la salle de bains et appela :

— Dante ?

Aucune réponse. On n'entendait que le ruissellement de l'eau.

— Dante ? lança-t-elle plus fort en ouvrant la cabine.

Aussitôt, son cœur s'arrêta de battre.

Dante se tenait debout, les mains pressées sur le carrelage, la tête courbée sous la douche glaciale qui s'abattait sur son dos. Ses muscles étaient agités de tremblements convulsifs, sa peau était écarlate.

— Qu'est-ce que tu fais ? demanda-t-elle, effarée.

Il leva la tête et tourna vers elle un visage inexpressif aux lèvres grises, aux yeux vides et obscurs comme des puits sans fond. Horrifiée, elle s'empressa d'empoigner une serviette et la lui tendit en ordonnant :

— Sors de là !

— Ça n'a pas marché, lâcha-t-il en claquant des dents.

— Qu'est-ce qui n'a pas marché ? Tu n'es pas encore gelé jusqu'à la moelle, c'est ça ? Allez, sors !

— Paige, il faut toujours payer d'une manière ou d'une autre. Chaque seconde de plaisir a un prix.

Son regard était si angoissé, si désespéré, et son ton, si lugubre qu'elle en fut bouleversée. Elle enveloppa ses épaules dans la serviette et le fit sortir de la douche sans qu'il proteste, puis se mit à le frictionner énergiquement.

— Allez, viens ! lança-t-elle en l'entraînant dans la chambre. Allons-nous coucher.

Une fois encore, Dante obéit sans protester et se glissa docilement sous les couvertures. Cette soumission lui ressemblait si peu qu'elle en fut émue aux larmes. Après s'être déshabillée en hâte, elle le rejoignit dans le lit et enlaça son corps frigorifié.

— Tu es glacé.

— C'était le but de l'opération.

— Mais pourquoi ?

— Disons que c'est une habitude.

— Tu prends des douches froides après l'amour ?

— Non. C'est plus compliqué. Je fais pénitence.

— Pourquoi ? répéta-t-elle en s'efforçant de ne pas laisser affleurer son effroi. Pour tes péchés ?

— Je me punis d'avoir ressenti des émotions, perdu le contrôle, expliqua-t-il sur un ton neutre. Je m'entraîne ainsi depuis toujours.

— Pourquoi ?

— Parce que, *cara mia*, rien n'est gratuit dans la vie. Tout a un prix. Surtout les émotions fortes. La passion en particulier. La vie est faite d'ombre et de lumière, du meilleur et du pire. Le revers de l'amour est la haine. Et la ligne qui les sépare est infime.

— Je ne suis pas d'accord. Pour moi, l'amour et la haine n'ont rien à voir.

— C'est que tu es jeune et que tu n'as jamais assisté à ce basculement terrible, répliqua-t-il en tremblant. Moi, si. Je t'ai parlé de ma mère. Je t'ai dit qu'elle était morte. En réalité, elle a été assassinée. Par mon père. Alors que, caché sous le canapé, j'assistais à la scène, totalement impuissant. Tout ce que j'ai pu faire, c'est me couvrir les oreilles pour étouffer ses cris. Comment oublier que j'ai vu mourir ma mère, que je l'ai tenue dans mes bras durant son agonie ? Voilà ce qui arrive quand on perd la maîtrise de soi. Quand on se laisse dominer par la passion. Je dois toujours garder à l'esprit que, si je perds le contrôle, un autre en payera le prix fort.

De grosses larmes ruisselaient sur ses joues. Bouleversée, elle le serra contre elle.

— Enfin, Dante, pourquoi faut-il que ce soit toi qui payes ?

— Pour épargner autrui.

Paige resta étendue dans le noir, les yeux brûlants, le corps et l'âme en proie à une lassitude infinie. Incapable de dormir, elle tint Dante serré sur son cœur jusqu'à ce que l'aube chasse l'obscurité de la chambre.

Si seulement elle avait pu, à l'instar de la lumière du jour, illuminer son âme et en bannir les ténèbres !

12.

— Le mariage est avancé. Il aura lieu dans une semaine, annonça Dante, le mardi midi, en faisant irruption dans le bureau de Paige.

Ce qui ne manqua pas de la surprendre, car, après l'avoir ignorée toute la journée du lundi, il était parti au bureau à une heure tardive pour n'en plus revenir.

Elle savait pourquoi il avait réagi ainsi. Parce qu'il avait été pris de panique. Néanmoins, elle l'avait imaginé mort sur le bord de la route et lui avait téléphoné plusieurs fois, sans qu'il prenne la peine de décrocher. Au bout de cinq tentatives infructueuses, sa fierté lui interdisant de s'obstiner davantage, elle avait commencé à faire les cent pas dans le vestibule, puis, de guerre lasse, était allée s'allonger pour humer son odeur sur l'oreiller...

En dépit de son irritation, son cœur battait la chamade, car elle était profondément émue de le voir.

— Tu ne peux pas avancer ce qui n'a jamais été programmé, répliqua-t-elle. Et puis, c'est bien trop précipité.

— Pas du tout, il est urgent que cette comédie se termine, ma maison n'est pas un hôtel ! riposta-t-il sur un ton cinglant qui la hérissa.

— Oh ! Excuse-moi ! Je ne m'en étais pas aperçue.

— Paige...

— Oui ?

— Tu sais ce que j'ai voulu dire.

— Que tu te conduis comme un salaud, c'est ça ? Parce que, si c'était le but recherché, c'est parfaitement réussi.

— Non, que notre arrangement n'est que provisoire.

— Comment pourrais-je l'oublier ? Tu n'arrêtes pas de le répéter.

— Tu veux continuer à jouer les vierges effarouchées ou tu as envie que l'adoption soit conclue rapidement ?

— Je préfère l'adoption.

— Je m'en doutais.

— Donc, nous nous marions lundi prochain… Tu crois que ça va accélérer le processus ? demanda-t-elle, pleine d'espoir.

— Certainement. Surtout que je viens de faire un don très généreux au service local de la protection à l'enfance. Ces gens m'adorent. Tout porte à croire qu'à présent la procédure se déroulera sans heurt.

— Tu as acheté… l'adoption ?

— Plus ou moins. Mais j'imagine que s'ils découvraient des choses terribles sur nous ils bloqueraient le dossier.

Hors d'elle, Paige donna un grand coup pied dans une boîte de décorations.

— Oh ! ça me rend folle ! Parce que je suis célibataire, que je vis dans un appartement étriqué, j'ai dû prouver que j'étais apte à devenir mère. Et voilà que tu te présentes, la bouche en cœur, avec — excuse-moi, mais c'est la vérité — une réputation d'incorrigible séducteur. Qu'à cela ne tienne ! Puisque tu es riche, l'adoption est aussitôt accordée…

— Désolé que ça te choque autant, mais le soulagement de savoir que le problème sera bientôt réglé devrait adoucir ton amertume.

Prise de court, Paige porta la main à sa bouche.

— Tu as raison, souffla-t-elle. Alors… Ana va vraiment être ma fille !

Folle de joie, elle s'élança vers lui et lui sauta au cou.

— Je ne sais pas comment te remercier, dit-elle en se haussant sur la pointe des pieds pour poser un baiser sur sa joue, avant de murmurer : aujourd'hui, pas de paillettes.

— Et c'est tant mieux, marmonna-t-il en s'écartant d'elle.

116

— Est-ce que tes parents seront présents au mariage ? s'enquit-elle.

Elle vit son visage se crisper.

— Nous sommes obligés de les inviter. Je ne… Je refuse de leur mentir.

— J'aurais préféré que personne ne soit au courant. L'idée qu'un imprévu sabote mes chances d'obtenir la garde d'Ana me terrifie. Mais je comprends que tu refuses de leur mentir. Ce sont tes parents et…

— Oui.

Dante parlait toujours des Colson d'une manière telle-ment formelle et détachée que Paige demanda :

— Ils se sont montrés bons pour toi, n'est-ce pas ?

— En effet. Ils m'ont guidé d'une main ferme, ce dont j'avais le plus grand besoin. Et ils m'ont offert tout ce qu'il me fallait : une chambre particulière, mes propres affaires…

— De l'amour ? hasarda-t-elle.

— Je n'en avais pas besoin.

Malgré ce qu'il lui avait révélé sur son enfance, sa réponse la choqua et elle ne put s'empêcher d'insister :

— Quand même… ils t'ont aimé ?

Elle vit son visage se figer.

— J'ai peur que ce mariage leur fasse bien trop plaisir. En revanche, je me demande ce qu'ils vont penser d'une telle précipitation.

— A mon avis, ils n'y trouveront rien à redire.

— Peut-être, mais Mary sera contrariée de devoir dénicher à l'improviste une robe pour le mariage de son fils, observa-t-il avec une ombre de sourire.

— La plupart des mères le prendraient mal, en effet.

— Je dois te parler d'autre chose, reprit Dante, la mine soucieuse.

— De quoi ?

— L'autre nuit, je… je n'ai pas utilisé de préservatif.

— Oh ! Rassure-toi, je ne suis pas enceinte, se récria-t-elle.

— Tu ne peux pas le savoir…

— Disons que… je l'espère.

— Je ne vais pas te blâmer de ne pas désirer un enfant de moi ! lâcha-t-il avec amertume. Surtout que tu connais les tares dissimulées dans mes gènes.

Parcourue par un frisson glacé, elle protesta :

— Mais… de quoi parles-tu ? Sois honnête : si j'étais enceinte, est-ce que tu resterais ?

— Tu serais bien plus heureuse sans moi.

— C'est supposé répondre à ma question ?

— Oui, malheureusement. Mais rassure-toi, je resterais. Il n'empêche qu'il vaudrait bien mieux pour toi que je n'y sois pas obligé.

— Je refuse que tu restes avec moi par obligation.

— Si tu attends mon enfant, il faudra t'y résigner, parce qu'il est hors de question que j'esquive mes responsabilités.

Son air résigné lui serra le cœur. Non, ce n'était pas ce qu'elle voulait. Pas pour le reste de sa vie.

— Enfin, tout de même, tu… tu aimerais ton enfant ?

— Je ne crois pas en être capable.

— Tu ne parles pas sérieusement. Il suffirait de… laisser le passé derrière toi, de tourner la page et… et…

Alors, Dante explosa avec une telle fureur qu'elle vit une flamme sombre danser dans ses yeux.

— Enfin, Paige, qu'est-ce que tu t'imagines ? Que j'ai besoin de confier ce que je ressens ? Que je devrais en parler à un psy ? Pourquoi ? Tu crois que ça va tout arranger ? Que ce ne sera plus le sang d'un tueur qui coulera dans mes veines ? Tu penses que ça va me guérir, m'apaiser, me rendre capable d'aimer ? Ma pauvre, tu vis dans un conte de fées, asséna-t-il en secouant la tête. Dans le monde réel, tout ne s'arrange pas d'un coup de baguette magique.

— Dante, ce n'est pas ça… Je ne voulais pas banaliser…

— Pourtant, c'est ce que tu as fait, asséna-t-il. Bon, je pars pour la semaine en voyage d'affaires. Je rentrerai juste à temps pour le mariage. Ne t'inquiète pas, tout est déjà réglé. Nous n'aurons qu'à nous présenter à la mairie.

— Tu t'en vas ?

— Pour mon travail, répondit-il sur un ton sans réplique, avant de marcher vers elle et de s'emparer de sa bouche pour un baiser dur, intense.

Dès que ses lèvres touchèrent les siennes, Paige, transportée, lui répondit avec la même ardeur, mais il se redressa brutalement, sombre et dangereux.

— A mon retour, nous nous marierons.

Dante arriva chez lui à minuit, la veille du mariage. Le voyage avait été long. Mais, si son lit lui avait paru bien froid et vide, l'éloignement lui avait au moins permis de recouvrer un semblant de maîtrise de soi.

Alors qu'il entrait dans la maison, au lieu du silence attendu, il eut la surprise d'entendre Ana pleurer. Il monta à l'étage, certain de trouver Paige dans la chambre du bébé.

A sa grande surprise, elle n'y était pas.

En revanche, l'eau coulait dans la chambre voisine. La jeune femme devait penser qu'à cette heure tardive la petite dormait et en profiter pour prendre une douche.

A présent, Ana pleurait, laissant échapper des sanglots si bouleversants qu'ils résonnèrent en lui comme un appel déchirant.

Il entra dans la nurserie, hanté par l'image d'un petit garçon blotti sur le plancher et pleurant à chaudes larmes sans que personne ne vienne le consoler. Le cœur palpitant, il s'approcha du berceau et se pencha sur le bébé :

— Pourquoi pleures-tu, *principessa* ?

Comme la petite continuait à brailler en le dévisageant avec des yeux furibonds, il posa la main à plat sur son petit ventre rond. Aussitôt, elle se tortilla sous sa paume et sa fureur s'apaisa, se muant en curiosité. Mais, comme il mettait trop de temps à la satisfaire, ses cris reprirent de plus belle.

S'il n'avait jamais tenu un bébé dans ses bras, Dante avait vu Paige bercer la petite sur son cœur avec des précautions et une douceur infinies. Il se pencha donc, souleva Ana et la pressa sur sa poitrine. Etonné, il sentit le malaise empreint de terreur éprouvé habituellement à la vue de l'enfant s'évanouir petit à petit pour laisser place à la tendresse — une tendresse pareille à celle qui illuminait le visage de Paige quand elle berçait sa fille. Même s'il avait du mal à admettre sa réaction, c'était tout naturel de fondre devant un bébé, non ? Peut-être était-ce le signe que toute émotion n'était pas morte en lui.

Le cœur du bébé palpitait contre le sien aussi vite que celui d'un oiseau. Bientôt, les cris d'Ana diminuèrent et elle se lova contre sa poitrine.

— C'est tout ce que tu voulais ? Que je te tienne ? demanda-t-il, bouleversé par la confiance absolue avec laquelle son petit corps s'alanguissait entre ses mains.

Soudain, le bébé eut un sursaut et laissa échapper un cri de mécontentement. Il alla s'asseoir sur le rocking-chair dans l'espoir que le balancement l'apaise, mais Ana continua à se tordre en émettant des cris de plus en plus perçants.

Peut-être qu'une berceuse aurait plus de succès ? Tout en lui caressant le dos, Dante prit son inspiration pour entamer la seule qu'il connaissait, mais l'image d'un petit garçon recroquevillé sur le plancher lui bloqua la gorge.

Il palpa le dos d'Ana, ses épaules, son ventre, rassuré de sentir sa chaleur, son souffle, sa vie.

— *Stella stellina, la notte si avvicina…*

Apaisé par le son de sa voix, le bébé, intrigué, le scruta avec ses grands yeux sérieux. Malgré ses tempes serrées, sa gorge nouée, il réussit à chanter la berceuse jusqu'au bout.

— *Nel cuore della mamma…*
Et bébé s'endort sur le cœur de maman.

Comme Ana s'abandonnait totalement contre lui, la tête sur sa poitrine, il posa la joue sur sa chevelure duveteuse et ajouta sans réfléchir :

— Sur le cœur de papa, aussi.

Un éclair de lucidité le fit redescendre sur terre. Ana n'avait pas de père et il était incapable d'assumer ce rôle pour elle. Pas plus qu'il ne pouvait prendre la place du mari aux côtés de Paige. Son destin le lui interdisait.

Il n'avait rien à leur offrir. Et ce n'était pas une berceuse et quelques minutes de tendresse qui y changeraient quelque chose. Il était trop corseté, froid, rigide. Tout en lui était figé, incapable du moindre changement. S'il s'ouvrait ne fût-ce qu'une seconde, s'il modifiait en quoi que ce soit cet équilibre fragile, il redoutait de perdre le contrôle et de lâcher la bride à la douleur et la laideur tapies au fond de lui…

Il refusait de nuire aux innocents qui l'entouraient.

Néanmoins, il savoura ce moment hors de la réalité — un moment de sérénité comme il n'en avait jamais connu —, berçant dans ses bras ce petit être innocent, précieux et sans défense, qui lui témoignait une confiance absolue. Simplement parce que la vie ne lui avait apporté qu'amour et affection, qu'aucune personne malveillante n'avait jamais touché à un cheveu de sa tête…

Dante avait beau ne pas être croyant, il pria avec ferveur pour que ce malheur soit toujours épargné à Ana.

13.

C'était le jour du mariage. Dans sa splendide robe en satin un peu trop classique à son goût, et ses cheveux sagement relevés en chignon de manière à camoufler sa mèche rose — selon les ordres stricts reçus par la coiffeuse —, Paige se sentait un peu triste. Une tristesse qui s'expliquait par le fait de n'avoir pu apporter à ce grand jour la moindre touche personnelle.

Ce qui était stupide, vu qu'elle se mariait très provisoirement avec un homme qui ne représentait rien pour elle, mais qui était néanmoins l'homme le plus fascinant, le plus intéressant et le plus sexy qu'elle ait jamais rencontré. Et — oh, oui ! — qui était aussi son amant.

En fait, tout cela était dérisoire et ne valait pas la peine de se monter la tête. Et pourtant elle se sentait sur des charbons ardents. Certainement parce qu'hier soir, en sortant de la douche, elle avait surpris Dante dans le rocking-chair en train de bercer Ana sur sa poitrine en chantant une berceuse.

Le spectacle l'avait bouleversée et avait éveillé en elle une tendresse qui l'avait émue aux larmes.

Non, non ! Ce n'était pas le moment de s'égarer. Ana était déjà installée dans l'église avec Genevieve, qui assumait à la fois le rôle de public et celui de baby-sitter.

Le couple avait décidé d'intégrer la petite à la cérémonie qui, tout compte fait, n'avait lieu que pour elle, et Paige espérait qu'Ana ne douterait jamais de l'amour qu'elle lui portait. Pour sa fille, elle n'aurait reculé devant rien. Elle se serait jetée au feu pour la garder, assurer son bonheur et sa sécurité. Même si, aujourd'hui, l'exploit se limitait à enfiler une belle robe, à se maquiller et à échanger des vœux dans une église.

L'ordonnatrice du mariage — une magicienne qui avait réussi l'exploit d'organiser toutes les festivités à la dernière minute — se présenta dans la petite antichambre où elle patientait.

— Mademoiselle Harper ?

— Oui ?

— Il est temps d'y aller.

Résignée, Paige acquiesça et quitta la quiétude de la pièce pour aller se poster devant l'imposante porte de bois à travers laquelle elle percevait la musique et les rumeurs de l'assistance.

— Dante, Genevieve et Ana sont déjà installés, annonça l'organisatrice. Vous n'avez plus qu'à attendre mon signal.

Rongée par un trac terrible, elle se contenta de hocher la tête, puis, bien trop tôt à son gré, les portes s'ouvrirent et, au signal, elle s'engagea dans l'allée.

Un pas devant l'autre... Concentrée sur sa démarche, elle évita soigneusement de croiser le regard de Dante. Ce fut seulement devant l'autel, au moment de prendre sa main, qu'elle osa enfin lever les yeux sur lui... et en fut comme foudroyée.

Soudain, l'église, la ville, le monde entier n'existaient plus. Sur la planète, il ne restait plus que Dante. Bien sûr, il était superbe dans ce smoking qui mettait en valeur sa haute silhouette élancée. Bien sûr, la lumière des cierges rehaussait la virilité de ses traits. Pourtant, ce n'était pas cela qui la troublait le plus...

Son futur époux lui prit les deux mains et le pasteur débuta la cérémonie. Paige réussit à prononcer les vœux sans bafouiller, puis, son tour venu, à les répéter. Ce ne fut qu'au moment où Dante se pencha vers elle pour le traditionnel baiser et où il effleura ses lèvres que, frappée par la révélation de ce qui lui arrivait, elle fut aussitôt submergée par une vague d'émotions où une terreur intense le disputait à un sentiment de pure exaltation.

En fait, Dante n'était ni son patron, ni l'homme qui l'avait secourue, ni son mari d'un jour. Il n'était même pas son amant.

C'était l'homme qu'elle aimait. Le seul qu'elle ait jamais aimé. Le seul qui vaille la peine qu'elle mette son cœur en péril et prenne des risques.

C'était l'homme de sa vie.

A la fin du baiser, Genevieve lui tendit Ana. Alors que, le cœur battant la chamade, elle serrait sa fille dans ses bras, Dante s'empara de sa main libre pour proclamer devant l'assemblée :

— Je suis fier de vous présenter la famille Romani.

Il souriait. Le genre de sourire destiné à faire la une des journaux et à charmer les services de l'enfance mais qu'elle savait factice, car aucune étincelle ne brillait dans ses yeux.

Comme ils remontaient l'allée sous un tonnerre d'applaudissements, elle s'accrocha au bras de son mari en plaquant un sourire sur son visage.

— Souris, ordonna-t-il.

— Je ne fais que ça…

— Non, ce n'est pas vrai, reprocha-t-il, une fois les portes refermées derrière eux.

— C'est que je ne suis pas aussi bonne actrice que toi.

A son grand étonnement, sa réflexion parut le choquer.

— Eh bien, tu as intérêt à faire des progrès, parce que la réception va bientôt commencer ! Tu vas faire la connaissance de mes parents.

Dante, Ana dans les bras, observait Paige qui allait d'un groupe d'invités à l'autre. Malgré sa nervosité et sa pâleur, elle faisait des efforts méritoires pour converser aimablement avec chacun. Soudain, il aperçut ses parents qui traversaient l'immense salle de bal dans sa direction.

— Dante, si tu savais comme nous sommes heureux pour vous ! s'exclama Mary en l'embrassant sur la joue, avant de caresser affectueusement le dos d'Ana.

Culpabilisé de la comédie qu'il leur jouait, il se contenta de hocher la tête, mal à l'aise.

— Nous qui avions perdu l'espoir que tu te ranges un jour, renchérit Don. Voilà que tu te retrouves père de famille ! Et nous, grands-parents d'une adorable petite-fille !

— J'en suis aussi surpris que vous, répliqua-t-il, ce qui était la stricte vérité.

A l'autre bout de la salle, Paige croisa son regard et s'échappa aussitôt pour les rejoindre.

— Vous devez être les parents de Dante…

— Et vous, la jeune femme la plus surprenante du monde, répondit Mary avec un sourire. Comment vous y êtes-vous prise pour convertir mon fils à la vie de famille ?

— Eh bien, il n'a pas vraiment eu le choix ! répondit Paige. En fait, je l'ai pris au lasso et traîné à l'église.

Mary et Don éclatèrent de rire, amusés par cette repartie trop caricaturale pour être vraie — alors qu'elle reflétait peu ou prou la réalité. Néanmoins, Paige se trompait. Bien sûr, qu'il avait eu le choix. Il aurait pu se désengager à tout moment. Mais quelque chose l'en avait empêché et il aurait donné cher pour savoir quoi.

Il sentit Ana bouger contre sa poitrine et fut aussitôt saisi d'une étrange émotion.

— Nous vous avons préparé une petite surprise, annonça Don. Dante m'a appris que vous faisiez une croix sur votre lune de miel à cause du bébé, dit-il en se tournant vers Paige. Alors, Mary et moi proposons de garder Ana cette nuit et de vous déposer tous les deux dans un hôtel du centre-ville.

— Un de vos hôtels ? s'enquit Dante, envahi par une bouffée de désir brûlant à l'idée de passer une nuit seul à seule avec Paige.

— Naturellement ! s'esclaffa son père.

— C'est que… je ne sais pas trop…, bredouilla la jeune femme.

— Je comprends, vous ne nous connaissez pas, mais Dante, lui, nous connaît bien, dit Mary en posant une main rassurante sur son bras. Nous voilà devenus les grands-parents d'Ana. Nous désirons nous investir.

— D'accord, souffla Paige, plus pâle que jamais.

Dante tendit à Mary le bébé, qui se tortilla dans les bras de la vieille dame en posant sur elle des yeux embrumés de sommeil. Mais il ne pleura pas, ce que Dante trouvait fascinant. Ana semblait jauger instantanément les gens et choisir de réagir en fonction du résultat de son examen. Avec son caractère bien trempé, sa capacité de concentration, elle aurait pu tout à fait être sa fille.

Cette pensée noya aussitôt le brasier qui le consumait. Ana n'était pas sa fille. Tout comme Paige n'était pas vraiment son épouse.

Et, pour elles deux, c'était une bénédiction. Tout ce qu'on pouvait espérer, c'était que Paige ne soit pas enceinte…

Impitoyablement, il réprima l'espoir ténu qui se faisait jour en lui : que la jeune femme attende un enfant et qu'il puisse la garder auprès de lui.

Non ! Ils allaient profiter de leur minilune de miel, savourer leur nuit de noces, et ensuite adieu ! Le fait d'avoir apposé leurs signatures au bas d'un document n'y changeait rien. Ce mariage n'était qu'une mascarade. Rien n'était vrai. Rien n'était possible.

Il ne devait jamais l'oublier.

L'hôtel était magnifique, la suite, éblouissante. Pourtant, Paige tremblait comme une feuille à l'idée de ce qui allait suivre.

En une semaine, elle avait à peine échangé deux mots avec Dante. Or, ce soir, ils allaient se dénuder pour faire une fois encore magnifiquement l'amour — une perspective qui l'enchantait. Cependant, les autres fois, le prix à payer avait été si élevé qu'elle se demandait si le jeu en valait la chandelle. Si elle ne ferait pas mieux de renoncer.

Elle se tourna vers Dante et sentit son cœur se serrer. Il était si craquant, dans son smoking un peu fripé, avec sa cravate desserrée et sa chemise entrouverte… Une tenue un peu négligée, comme si la pression de cette journée avait fissuré l'armure à laquelle il tenait tant.

Maintenant, elle comprenait pourquoi. Cette froideur que la presse interprétait comme une réserve hautaine, un détachement méprisant n'était qu'une technique de survie destinée à protéger le petit garçon qui avait trop souffert.

Elle voyait clairement, aussi, que les parents de Dante l'aimaient. Il était flagrant que Mary et Don éprouvaient une sincère et profonde affection pour l'adolescent qu'ils avaient recueilli chez eux. Or, non seulement Dante ne s'en rendait pas compte, mais il s'interdisait de voir cet amour ou même de leur montrer la tendresse qu'il éprouvait pour eux.

Elle effleura le goulot de la bouteille qui trônait dans un seau à glace sur le bar de la suite, et lança, étonnée :

— Du champagne ?

— Pourquoi pas ? répondit Dante. C'est la tradition, pour une nuit de noces.

— C'est donc tout indiqué, puisque tu m'as promis que nous respecterions la tradition.

— C'est vrai, excuse-moi…, soupira-t-il en baissant les yeux. J'espère que tu me pardonnes de t'avoir si mal traitée avant mon départ.

— Dante, oublions ça.

— Non, je me suis conduit comme un salaud. Je mérite que tu sois irritée contre moi.

— Certainement pas ! Ce que tu as dit cadrait avec mes intentions. Depuis notre première nuit ensemble, je suis bien résolue à ne pas dormir seule le soir de ma nuit de noces.

— Paige, tu es vraiment insupportable ! protesta Dante, la mine si sérieuse et outrée qu'elle eut envie de rire.

— Oui, tu me l'as déjà dit et tu n'es pas le seul, dit-elle en prenant la bouteille.

Elle fit sauter le bouchon, versa deux flûtes de champagne et lui en tendit une.

— Pourtant, je me souviens qu'un homme m'a dit un jour que le problème ne venait peut-être pas de moi mais des autres.

— A Paige, la fille impossible ! lança Dante en levant son verre.

— Tu sais ce qui est drôle ? dit-elle, après avoir avalé une longue gorgée de liquide pétillant sans le quitter des yeux.

— Non…

— C'est qu'avant, quand on me trouvait insupportable, ce n'était pas du tout parce que j'étais entêtée. Au contraire. Il n'y avait pas plus soumise que moi. Ma mère avait beau me répéter sans cesse de faire des efforts, j'en étais incapable.

— Paige, si quelqu'un est capable d'efforts, c'est bien toi, affirma Dante avec sérieux. Et c'est bien parce que tu es têtue comme une mule que j'ai été forcé de t'aider.

— C'est vrai, ces trois dernières années, j'ai changé, peu à peu. Surtout depuis que je travaille chez Colson et que j'ai découvert ma véritable valeur.

Elle lui jeta un regard en coin et ajouta avec prudence :

— J'ai aussi compris que, pour obtenir quelque chose qui en vaille la peine, je devais arrêter de me protéger, prendre le risque d'être blessée.

L'expression soudain impassible, il répondit sur un ton neutre :

— Je me réjouis que tu y sois arrivée.

Soit il n'avait pas compris ce qu'elle disait, soit il le faisait exprès…

Heureusement, Paige n'était plus la même. Elle n'allait pas se décourager pour si peu. Que Dante soit amoureux d'elle ou pas, il méritait d'être aimé, quel qu'en soit le prix à payer. Pour lui, elle était prête à endurer souffrance et déception, car il en valait la peine.

Cet homme valait tous les trésors du monde.

Le plus désespérant, chez son énigmatique patron, c'est qu'il était persuadé du contraire. Dante se voyait comme une menace, un danger potentiel, un obstacle au bonheur de ses proches.

Mais elle allait modifier tout cela. Quelle que soit l'issue de leur histoire, elle était résolue à changer la donne, persuadée d'avoir acquis assez de force et de persévérance pour y arriver.

Elle posa sa flûte sur le comptoir, lui tourna le dos et se dirigea vers la fenêtre, sentant le regard de son mari rivé sur elle.

Les rideaux étaient ouverts et les lumières de la ville diffusaient une pâle lueur dans la chambre. Le dos toujours tourné, elle tendit la main en arrière et descendit lentement la fermeture Eclair de sa robe. Le tissu s'écarta, révélant sa peau nue. Elle fit tomber la robe à ses pieds et enjamba à reculons la flaque de soie sur le plancher...

Son bustier de dentelle blanche, qui faisait saillir ses seins et entravait sa taille, se terminait sur les hanches, juste au-dessus d'un minuscule string immaculé. Les bas qui gainaient ses jambes étaient rose vif et parsemés de paillettes, et elle avait gardé ses chaussures à talons.

Aiguillonnée par sa nouvelle assurance et les battements réguliers du désir qui faisaient palpiter sa chair dans ses replis les plus secrets, elle annonça :

— Ce soir, j'ai envie d'une chose précise. Et je suis déterminée à l'avoir.

— Quoi donc ? l'entendit-elle lancer d'une voix enrouée.

— Toi. Tout de suite. Et je t'aurai.

— Tu crois ? répliqua-t-il, cette fois tout près de son oreille.

— Je le sais, dit-elle en faisant volte-face.

L'avidité de fauve qui luisait dans ses prunelles lui prouva qu'elle tenait sa victoire.

— Ma belle oie blanche se serait-elle muée en séductrice ?

— Je l'ai toujours été. Encore fallait-il dénicher cette séductrice cachée en moi. C'est toi qui m'y as aidée, car te connaître m'a métamorphosée.

Elle surprit une lueur de panique dans ses yeux.

— C'est vrai ? souffla-t-il, la voix rauque.

— Oui, tu m'as aidée à prendre conscience de mon pouvoir. A être en paix avec moi-même.

— Par quel miracle ?

— En étant toi-même.

Embrasée par un désir qui balayait tout sur son passage — peurs, doutes, incertitudes —, Paige dégrafa son corset et fit glisser son string. Ce soir, il n'était pas question que Dante garde le contrôle, parce qu'elle voulait plus. Plus que la première nuit. Plus que la nuit dans la cuisine. Elle le voulait tout entier.

Une fois nue, elle l'attira dans ses bras et lui prit la bouche. Après un long baiser langoureux, elle se mit à le déshabiller, alternant baisers et caresses torrides sur sa peau brûlante. Puis elle s'agenouilla devant lui avec un soupir ravi :

— Ça fait si longtemps que j'en ai envie…

Cette fois, ce fut elle qui l'entraîna dans un long voyage, un voluptueux périple qui dura jusqu'au bout de la nuit. Sans relâche, ils parcoururent leurs corps, découvrant toutes les ressources du plaisir, transportés vers des contrées inexplorées, des rivages inconnus par des vagues de jouissance aux ondulations infinies…

Quand Dante s'abattit avec un soupir extatique sur sa peau perlée de sueur, Paige passa la main dans ses cheveux et lui embrassa tendrement l'épaule en murmurant :

— Je t'aime…

Je t'aime.

Ce que ressentait Paige n'aurait pas dû compter. Car,

au fond, les sentiments qu'elle éprouvait pour lui ne changeaient rien. Ils ne devaient pas influer sur le plan qui mûrissait lentement dans son esprit depuis le mariage. Depuis qu'elle était apparue dans l'église. Depuis qu'il avait vu ses parents avec Ana.

Toutefois, la jeune femme avait raison sur un point : son amour était totalement exempt de mesquinerie, d'arrière-pensée. Tout en elle n'était que lumière, force, détermination et générosité.

Alors que dans ses veines à lui coulait le sang d'un monstre.

Il avait vu ce que l'amour avait fait de son père. Comment un sentiment aussi pur s'était transformé en violence, en volonté de pouvoir, de contrôle absolu sur l'autre, doublé d'une absence totale de contrôle sur soi-même.

Jamais il ne permettrait qu'une chose pareille lui arrive.

Dante agrippa la balustrade du balcon et considéra la ville étendue à ses pieds. Malgré la douceur de l'air, il était glacé jusqu'aux os.

Je t'aime…

Paige l'aimait et l'idée de tout le mal qu'il pouvait lui infliger le mettait au supplice.

Et si c'était une bonne chose ? Si son amour pouvait la rapprocher de toi ?

C'était peut-être peu charitable, mais il caressait l'idée de garder la jeune femme et Ana auprès de lui, dans sa maison. Un moyen de remercier ses parents de tout ce qu'ils avaient fait pour lui et de fonder à son tour un foyer chaleureux et stable, tout en offrant une vie protégée et luxueuse à la jeune femme et sa fille.

En revanche, il n'avait jamais envisagé que Paige tombe amoureuse. C'était arrivé contre sa volonté. Qu'importe ! Ce n'était pas la fin du monde. Il devait être possible de la garder avec lui, de la rendre heureuse sans la mettre en danger. Ni s'exposer trop lui-même.

Son plan était égoïste, risqué, il le savait. Mais qu'y faire ? L'envie était trop forte.

Dante se retourna et rentra dans la chambre. Après avoir observé Paige, blottie entre les draps, il se glissa auprès d'elle et la serra dans ses bras en posant un baiser dans ses cheveux.

Son projet avait des chances de réussir et il allait tout faire pour cela. Demain, dès leur retour à la maison, il annoncerait à Paige qu'il voulait qu'elle reste. Et elle accepterait.

Il le fallait.

14.

Paige avait été folle de joie de récupérer Ana, qu'une seule nuit passée en compagnie des Colson avait suffi à rendre pourrie-gâtée. Son cœur se serra quand elle songea à la déception qui attendait ces gens qui se considéraient déjà comme ses grands-parents.

Jamais elle n'avait prévu que les choses iraient si loin, qu'elles engendreraient une telle confusion affective. Don et Mary aimaient Ana, qui s'était déjà attachée à eux. Ana aimait Dante. Paige aussi l'aimait et elle avait été assez folle pour le lui avouer.

Or, non seulement il n'avait rien répondu, mais depuis il faisait tout pour éviter le sujet.

Installée sur la terrasse, elle mit la touche finale au croquis d'une nouvelle vitrine, puis se tourna vers l'océan. Cette maison en bord de mer était vraiment propice à l'inspiration — et ce, même si son propriétaire avait le chic pour lui mettre les nerfs en pelote. Il ne lui restait qu'un projet à concevoir pour Noël et elle se retrouvait très en avance sur son planning.

Elle reposa son carnet de croquis sur la table et rentra par la baie vitrée dans le salon où elle manqua heurter Dante, qui pénétrait d'un pas décidé dans la pièce.

— Tu es de retour ? lança-t-elle, surprise.

— Oui.

— Avant 17 heures, c'est plutôt surprenant.

— J'avais une affaire importante à régler.

— Quoi donc ? demanda-t-elle, persuadée de connaître la réponse.

— J'ai réfléchi, dit-il. Il se trouve que la couverture de notre mariage par les médias a été très positive.

— Ah bon ? Je n'ai pas vraiment regardé.

— Moi, si, car Trevor m'a transmis un florilège d'articles. Comme je le subodorais, ce mariage en particulier et notre relation en général ont grandement amélioré mon image.

— Tant mieux ! dit-elle, plus embarrassée que soulagée.

— Et on ne peut écarter la possibilité d'une grossesse...

— Si, si, ce sera bientôt fait ! se récria-t-elle.

— Il ne m'a pas échappé non plus que Don et Mary se sont instantanément entichés d'Ana, continua Dante, sans tenir compte de son intervention. Et que la petite est en confiance avec eux.

— Oui, ce qui me culpabilise beaucoup.

— Pourquoi ? Il n'y a aucune raison. Ça ne fait que confirmer ce que je suspectais déjà.

— Quoi donc ? hasarda Paige, qui n'était pas sûre d'apprécier la réponse — elle risquait de bien trop lui plaire.

— Que notre arrangement devrait devenir permanent. En effet, l'idée était des plus plaisantes.

— Vraiment ? souffla-t-elle, envahie par une subite bouffée de joie.

— Vu le contexte, ça me paraît la meilleure chose à faire.

Folle de bonheur, elle lui sauta au cou.

— Oh, oui ! Oui, oui ! s'exclama-t-elle, radieuse.

Dante l'attira à lui et s'empara de ses lèvres en caressant fébrilement son corps. Agrippés l'un à l'autre, ils montèrent l'escalier sans rompre leur baiser. Une fois sur le palier, il la souleva dans ses bras et, tout en continuant à dévorer sa bouche, alla la coucher sur son lit où il arracha frénétiquement ses vêtements, puis les siens.

*
* *

Dante n'arrivait pas à se concentrer sur son travail. Il n'arrivait à se concentrer sur rien. Résultat : il avait déserté son bureau au beau milieu de l'après-midi pour rentrer chez lui et faire intensément, passionnément l'amour… avec une femme qui semblait déterminée à le percer à jour.

Et qui menaçait d'y parvenir.

Trois heures s'étaient écoulées depuis et son corps se consumait toujours, avec un creux béant en pleine poitrine.

— Dante.

Saisi, il se retourna et eut l'impression que son cœur s'arrêtait de battre. Vêtue d'un déshabillé vaporeux, Paige se tenait sur le seuil de son bureau dans un contre-jour qui ne laissait rien ignorer de sa silhouette aux courbes sensuelles.

— Qu'est-ce que tu fais ici ? murmura-t-il, la gorge nouée.

— Je suis venue te parler.

— Ce n'est pas l'impression que tu donnes.

— Et pourtant, si. Je suis venue m'expliquer aussi franchement que possible.

— Expliquer quoi ?

— Tout. Ce que je ressens. Ce que j'éprouve pour toi. Et je veux te le dire en face et que tu sois bien réveillé, pour que tu ne puisses pas faire comme si tu n'avais rien entendu.

Le regard rivé dans le sien, elle entra d'un pas résolu dans son bureau et vint se planter près de lui. Puis, sans le quitter des yeux, elle prit son visage dans ses mains et posa un baiser sur son front en murmurant :

— Je t'aime.

Elle lui embrassa la joue, en répétant « je t'aime », puis ses lèvres effleurèrent sa bouche avec la légèreté d'une plume et, de nouveau, elle souffla :

— Je t'aime.

Dante serra les dents pour juguler la vague de désir alourdie de chagrin qui dilatait sa poitrine et menaçait de le submerger, de le noyer tout entier.

— Paige, si ça peut te rendre heureuse, j'en suis content pour toi, dit-il sobrement.

— C'est tout ?

Il crispa les mâchoires pour asséner :

— Oui, c'est tout ce que j'ai à donner.

— Tu n'es qu'un menteur !

Soulevé par une rage noire, aussi violente qu'absurde, il la foudroya du regard :

— Qu'est-ce que tu viens de dire ?

— Que tu es un menteur. Et ça ne date pas d'hier. Ta vie entière n'est qu'un gigantesque mensonge.

Il se dressa si brutalement que Paige, effrayée, fit un bond en arrière.

— Bien sûr, puisque je ne suis qu'un métèque, un bâtard, qui a usurpé sa place au sein d'une famille respectable ! proféra-t-il, luttant contre la colère qui l'étouffait. Que ma vie entière n'est qu'un mensonge, basé sur une imposture. J'ai passé des années à faire semblant d'être civilisé, d'être un homme d'honneur, mais nous savons tous deux qu'il n'en est rien. Que ce n'est pas le sang de gens honorables qui coule dans mes veines mais celui d'un vulgaire assassin. Un lâche, une brute qui battait les femmes et a tué ma mère. Voilà ce que je suis... Tout le reste n'est que mensonge, conclut-il en désignant l'ordre spartiate qui l'entourait — le rempart qu'il s'était bâti pour se protéger.

Angoissé, Dante se tut et scruta avidement ses grands yeux écarquillés, attendant d'y voir poindre la peur, attendant le moment où elle comprendrait qu'il avait dit la vérité. Il n'était pas l'homme qu'elle croyait. Il n'était pas l'homme qu'il prétendait être. Sous son armure brillante se dissimulait un monstre que personne ne pouvait approcher sans répulsion.

— Pauvre idiot ! soupira-t-elle en secouant la tête. Tu crois que j'ignore ce que tu penses de toi-même, que je gobe les mensonges de la presse et que je ne vois pas ce qui se cache derrière cette façade que tu t'es construite ?

N'oublie pas que c'est moi qui t'ai sorti de cette douche glacée. Moi qui t'ai réchauffé dans mes bras ! Alors, Dante Romani, n'espère pas me décourager avec ces balivernes que tu te plais à ressasser à longueur de journée. Parce que le vrai mensonge, c'est quand tu prétends être un homme brisé, un homme qui ne peut plus ni aimer ni être aimé. Enfin, ouvre les yeux ! Regarde autour de toi. Don et Mary, Ana et moi, nous t'aimons… Et, si nous t'aimons, c'est parce que tu mérites de l'être. Mais tu refuses de l'accepter, parce que tu n'es qu'un lâche.

— Oui, j'ai peur, et alors ? C'est normal, non ? gronda-t-il. Je suis l'héritier de cette brute. Tu ne comprends donc pas ce que ça veut dire ? Que pour moi l'amour, la passion sont des poisons mortels.

— C'est faux !

— Ah bon, pourquoi ? Parce que tu m'aimes ? s'écria-t-il, furieux qu'elle s'obstine à ne pas comprendre. Mais, Paige, ma mère l'aimait. C'est pour ça qu'elle n'est pas partie. Elle l'aimait et elle pensait qu'il changerait. Que l'amour le transformerait. Mais l'amour n'arrange rien, il ne guérit rien. Il se contente de nous aveugler, de dissimuler les défauts de l'autre. Et sous son éclat, sa lumière, se cachent les ténèbres…

— Seulement si tu choisis ce côté obscur, comme l'a fait cet homme. Tu ne peux pas incriminer l'amour dans ce qui s'est passé. Parce que cela n'en était pas.

— C'était de la passion, si tu préfères. Une émotion dévastatrice. Une faiblesse que je ne me permettrai jamais. Tu n'as donc pas encore compris ? lança-t-il en désignant son bureau. L'ordre, le contrôle, voilà mes maîtres mots. Ce sur quoi j'ai bâti ma vie. Je me suis entraîné à acquérir une maîtrise totale sur moi-même. Afin de ne pas faire souffrir les autres. De ne jamais devenir comme cet homme.

— Et pour ne pas souffrir toi-même, souligna-t-elle à mi-voix.

— Oui, ça aussi, avoua-t-il avec la sensation d'être totalement mis à nu.

— Mais ce bureau n'est qu'un décor, une apparence, il n'a rien à voir avec ta réalité, objecta-t-elle en examinant la pièce. Il ne peut pas changer ta véritable nature.

— J'ai peur que rien n'en soit capable, répliqua-t-il avec un rire lugubre. La seule solution, c'est d'enfouir ma vraie nature. De la garder sous clé.

Paige secoua la tête, navrée.

— Dante, tu es un homme bon. Pourquoi refuses-tu de l'admettre ? Ça me dépasse. Enfin, regarde ce que tu as fait pour moi. Pour Ana. Tu as eu beau t'enfermer à double tour pour m'empêcher de t'atteindre, il m'a suffi d'entrouvrir la porte pour comprendre.

— Comprendre quoi ? demanda-t-il, oppressé.

— Que je t'aimais, et pourquoi je t'aimais. Tu es peut-être brisé, mais tu es fort. Si fort qu'en dépit des épreuves que tu as traversées tu es devenu un homme formidable. Un homme qui place les besoins des autres avant les siens. Un homme qui serait capable d'un trésor d'amour, s'il voulait seulement se l'autoriser.

— Paige, l'homme que tu décris n'a rien à voir avec moi. Je suis désolé, mais tu te trompes sur toute la ligne.

— Tu m'aimes…

A ces mots, Dante sentit un barrage céder et déferler en lui un raz-de-marée d'émotions et de désirs si puissants qu'il craignit de succomber sous leur assaut. Mais il réussit à ne pas flancher et se composa un masque impassible pour faire ce qu'il avait à faire.

— C'est faux, asséna-t-il.

Paige secoua la tête, incrédule.

— Je ne te crois pas.

— Alors c'est que tu t'es bercée d'illusions.

Une grosse larme roula sur la joue de la jeune femme, puis une autre et une autre encore, comme autant de coups de poignard dans son cœur saigné à blanc.

— Dante, arrête, supplia-t-elle, désespérée. Combien de temps vas-tu te punir pour les péchés d'un autre ?

— Paige, pour moi, l'amour n'est que rage, perte et

140

chagrin. Un incendie qui consume tout sur son passage et vous laisse à genoux, pantelant, accablé de douleur.

— Ce que tu décris n'est pas l'amour. C'est le mal. Un mal qui t'a arraché l'amour de ta mère, qui s'est emparé de ton père et l'a conduit au crime. Cela n'a rien à voir avec l'amour.

— C'est donc le mal qui couve en moi. Merci d'avoir clarifié les choses !

— Tu affirmes que tu es l'héritier de ton père, comme si tu n'étais pas aussi celui de ta mère. N'oublie pas que c'est à elle que tu dois la vie et qu'elle aurait souhaité que tu la vives pleinement. Songe aussi à Mary et Don. A tout ce qu'ils t'ont donné, tout ce qu'ils t'ont enseigné. Tu vaux tellement plus que cet homme ! Tu es plus fort que lui, plus fort que son crime.

— Et toi, tu parles comme une écervelée qui croit au Père Noël !

Aussitôt, il s'en voulut à mort, conscient qu'il n'était qu'un lâche qui se servait de sa rage comme d'une arme pour la forcer à se taire, la forcer à partir. Parce qu'elle menaçait de déchirer le voile, d'exposer son âme viciée en pleine lumière, de l'obliger pour la première fois à se regarder en face.

— Va-t'en ! Sors d'ici ! gronda-t-il, comme elle restait figée, ses grands yeux bleus posés sur lui telles deux fenêtres ouvertes sur son âme.

Deux fenêtres à travers lesquelles il voyait palpiter son chagrin, sa détresse et, pire, son amour. Un amour immérité. Un amour qu'il n'avait pas le droit d'accepter.

— Paige, va-t'en ! Je ne t'aime pas, je ne veux pas de toi, martela-t-il, chaque syllabe le privant d'une part de son être.

Ce qu'il venait de dire était cruel, monstrueux, mais il était obligé de mentir pour la protéger. Pour se protéger.

Paige resta un moment immobile, à se mordiller la lèvre, puis, soudain, elle fit volte-face et sortit en claquant la porte.

Il ne voulait pas la suivre, ne voulait pas la regarder

sortir de sa maison, de sa vie. Alors qu'il l'aurait amplement mérité, et qu'il aurait dû s'en réjouir. Mais cela, il n'y arrivait pas.

Au contraire. Il aurait voulu la prendre au mot. Croire à tout prix à ses paroles, lui dire qu'elle avait raison, bref : il était prêt à tout pour pouvoir la garder. Pour pouvoir garder Ana.

Il examina son grand bureau si parfait, si impeccablement rangé, prenant pour la première fois conscience que tout ce qui l'entourait n'était qu'un leurre. Il était détruit, dévasté. S'acharner à faire régner l'ordre et l'harmonie autour de lui ne changerait rien au fait qu'à l'intérieur il était un champ de ruines.

Machinalement, Dante effleura une tasse posée à la place idéale sur son bureau — pour qu'il puisse s'en saisir sans avoir à bouger quand il était assis. Pensif, il la souleva par son anse, l'étudia, la soupesa. Puis il baissa les yeux sur le plateau de son bureau où chaque objet avait sa place attitrée. En réalité, cet ordre lui était insupportable.

Avec un cri de rage, il projeta la tasse contre le mur où elle se pulvérisa en mille morceaux. Ensuite, il balaya d'un revers du bras tout ce qui se trouvait sur son bureau : porte-stylos, agrafeuse, lampe, dossiers, bloc de papiers... Enfin, la pièce était le reflet de son chaos intérieur.

Bloc après bloc, il démolit la façade derrière laquelle il s'était barricadé jusqu'à ce qu'il ait dévoilé le noyau de son être et puisse le regarder en face. Alors, privé de défenses, démuni, impuissant, il s'effondra à genoux. Il n'était plus que douleur, misère et chagrin.

Paige avait raison, il était un menteur et un lâche. Il avait peur. Peur de lui-même, mais plus encore peur de s'attacher et d'être de nouveau privé d'amour. Pour éviter ce déchirement, il avait passé sa vie entière à feindre l'indifférence, sous prétexte de protéger autrui. Alors qu'en fait il ne cherchait qu'à se protéger lui-même du monde extérieur. Parce qu'il était toujours le garçonnet terrorisé qui se cachait derrière un canapé pour échapper au monstre…

Il pensait sincèrement avoir réussi à bannir toute émotion, mais ce n'était qu'un mensonge de plus. Il s'était simplement soumis à sa peur et l'avait laissée décider à sa place, lui dicter sa conduite.

Pendant un instant trop bref, l'amour avait régné dans sa maison, une femme l'avait aimé, un bébé lui avait souri. Et il avait rejeté ce bonheur, chassé la femme et l'enfant. Pour se punir de ses fautes. Pour s'infliger l'ultime pénitence en châtiment du péché ultime : avoir succombé à l'amour. Une faiblesse totalement proscrite.

Maintenant qu'il était réduit à néant — ses défenses et ses techniques de survie ayant fait la preuve de leur inefficacité —, tout ce qu'il lui restait à faire, c'était se vautrer dans sa douleur, sa misère, son amour et mesurer l'étendue de sa perte. Car non seulement il avait perdu Paige et Ana, mais il avait raté sa vie.

Après être resté un long moment prostré au sol, Dante se releva péniblement et composa d'une main tremblante le numéro de ses parents.

— Dante, c'est toi ? lança sa mère à la seconde sonnerie.

— Pourquoi m'avez-vous adopté ?

Une question qu'il n'avait jamais osé poser, tant il redoutait la réponse. A la fois parce qu'il craignait que les médias n'aient raison et parce qu'il avait encore plus peur d'aimer. De s'attacher et de perdre. Une peur stérile, qui ne l'avait mené à rien, qui ne lui avait rien apporté, ne lui avait rien épargné.

— Parce que nous sommes tombés amoureux de toi à la seconde où nous t'avons vu, répondit Mary sur le ton de l'évidence. Un ado en colère avec un tel potentiel, tant d'aspirations ! Nous avons tout de suite su que tu étais notre fils. Notre fils tant attendu…

— Je n'étais pas mûr pour entendre ça, avoua-t-il, après avoir avalé la boule qui lui bloquait la gorge. Pas avant aujourd'hui.

— Je sais, murmura Mary.

Alors, Dante ferma les yeux et prit sa peur à bras-le-corps pour avouer :

— Je t'aime, maman.

Paige avait l'impression d'être à l'agonie. Ana avait mal dormi. Mais comment l'en blâmer, alors qu'elle s'était retrouvée dans un couffin au lieu d'un berceau et était restée confinée dans l'unique chambre de leur ancien appartement ? Résultat, elle-même avait passé une nuit blanche.

Bien sûr, il était impératif qu'elle regagne le foyer conjugal. Cependant, une absence d'une nuit ne pouvait pas être si grave. Passée inaperçue, elle ne pouvait en aucun cas compromettre l'adoption.

Poussée par le besoin de prendre du recul, de respirer un autre air que Dante, elle s'était imaginé que retourner chez elle l'aiderait à clarifier les choses, à prendre ses distances avec lui et les derniers événements. Elle s'était trompée. Cela n'avait servi à rien. Elle était trop différente, trop profondément métamorphosée par leur cohabitation pour pouvoir reprendre sa vie de zéro.

A présent, elle était assise à son bureau, après avoir reçu les félicitations empressées des autres employés. Une épreuve pénible pour une jeune mariée au trente-sixième dessous qui avait passé une nuit blanche loin de son nouvel époux — époux qui risquait de ne plus jamais lui adresser la parole.

Elle savait au plus profond d'elle-même que Dante l'avait agressée parce qu'elle l'avait poussé à bout. Que sa réaction avait été dictée par la peur. Mais le comprendre ne signifiait pas qu'il était prêt à changer d'état d'esprit, à modifier le fonctionnement psychologique de toute une vie.

Si elle se trompait peut-être en croyant que Dante l'aimait, une chose était sûre : il aimait Ana. Et elle avait la conviction qu'il pouvait devenir un père formidable. Elle l'avait su à la seconde où elle l'avait vu tenir Ana dans ses bras. A cet instant, elle avait compris que seule la peur l'empêchait d'exprimer l'amour qu'il portait en lui.

Quel homme stupide et merveilleux !

— Madame Romani ?

Il fallut plusieurs secondes à Paige pour redescendre sur terre et réaliser que c'était à elle qu'on s'adressait. Elle leva les yeux et vit un jeune homme, planté dans l'embrasure de la porte, qui tenait un magazine à la main.

— Oui ?

— On m'a demandé de vous livrer ceci, dit son visiteur en déposant la publication sur son bureau.

— Oh… Merci, marmonna-t-elle, perplexe, en examinant le journal.

Quand elle releva le nez, le jeune homme avait disparu. Elle ramassa le magazine et le feuilleta à la recherche de… elle n'en savait trop rien. Cherchait-on à attirer son attention sur des photos du mariage ? Elle tourna hâtivement les pages jusqu'à la rubrique people et tomba en arrêt sur un gros titre.

— Tu peux m'expliquer ce que ça signifie ! lança Paige en jetant le journal sur le bureau de Dante.

Une grosse larme roulait sur la joue de la jeune femme, qui tremblait de tous ses membres.

Il leva sur elle un regard angoissé. Cette fois, aucun bouclier ne dissimulait ses émotions. Toutes ses défenses mises à bas, il était aussi nu et vulnérable qu'elle.

— Ce n'est que la vérité, affirma-t-il, la voix enrouée. Pour la première fois, j'ai enfin dit la vérité.

Paige lut le titre à haute voix :

DANTE ROMANI, À PRÉSENT JEUNE MARIÉ, PROCLAME : « J'ADORE MA FEMME. »

— C'est vrai, dit-il.

Une nouvelle larme coula sur la joue de Paige, qui reprit courageusement sa lecture.

Il y a quelques semaines, nous émettions l'hypothèse que Mlle Harper pourrait bien faire changer Dante Romani. Aujourd'hui, Romani nous confirme que c'est le cas en affirmant : « Je suis amoureux de ma femme et l'amour métamorphose un homme. »

— Tout le reste est à l'avenant, poursuivit-elle, furieuse. Un tissu de bêtises, une litanie d'une page où tu ne cesses de répéter à quel point tu… tu m'aimes, tu aimes tes parents, tu aimes Ana…

— C'était peut-être maladroit de proclamer mon amour dans une tribune publique mais, tout bien considéré…

— Parce que cet article n'est pas du pipeau ?

— Non, c'est la vérité. Pourtant, il faut que j'ajoute quelque chose de vive voix : je t'aime.

Paige sentit son cœur gonfler démesurément dans sa poitrine et bredouilla :

— Dante, tu n'as pas honte ? A cause de toi, mon maquillage est fichu !

— Vu que tu as réduit ma vie à néant, tout comme l'image que je me faisais de moi-même, ce n'est que justice, observa-t-il en se levant pour faire le tour de son bureau. Paige, c'est toi qui parles vrai. Moi, je me suis toujours menti à moi-même, parce que j'étais dominé par la peur. Une part de moi était enfermée à double tour et je refusais de la libérer. Mais tu m'as démontré qu'il fallait prendre des risques. Que le courage était toujours récompensé. Tu es tellement plus brave que moi ! Tu as joué ton va-tout pour protéger Ana… Tu l'as joué de nouveau en me confessant ton amour au risque de te voir dédaignée. Tu n'as cessé de te mettre en danger pour moi qui étais bien trop lâche pour te rendre la pareille.

Bouleversée, Paige avala la boule qui lui bloquait la gorge.

— Dante, nous avons des passés très différents. Je ne peux même pas imaginer ce que tu as subi, les dégâts qu'un tel drame peut engendrer chez un enfant.

— Oui, il est inévitable qu'un événement pareil vous transforme à jamais, dit-il d'une voix blanche. Pourtant, c'est toi qui as raison : je ne peux pas laisser cet homme, un fantôme du passé, gâcher ma vie et mon avenir. J'ai fini par prendre conscience que j'étais aimé. Par toi. Par mes parents. Avant, j'étais trop terrorisé pour accepter l'affection qu'on me portait, car je craignais trop d'en être privé, de connaître une fois de plus la douleur du manque. Cette angoisse a fait de ma vie un désert glacé. J'ai cru qu'en confinant mon existence dans des cases, en accumulant les objets, les succès, je pourrais devenir un autre. Mais c'était dérisoire et absurde. Je n'ai réussi qu'à tromper tout le monde, moi le premier. Tout le monde, sauf toi, Paige. Toi, tu m'as poussé dans la lumière. Ça m'a permis de comprendre une chose cruciale.

— Quoi ? souffla-t-elle, bouleversée.

— Que la lumière est la plus forte. Jusque-là, je pensais qu'avec l'ombre elles étaient les deux faces d'une même pièce. Que l'une n'allait pas sans l'autre. Cette conception m'aidait à comprendre les drames de mon enfance. J'avais besoin de croire que si j'arrivais à tout contrôler je m'en sortirais indemne. A présent, j'ai compris deux choses : la première, c'est que la maîtrise totale est impossible ; la seconde, que la lumière triomphe toujours de l'obscurité. Là où elle pénètre, elle illumine le moindre recoin. C'est ce que tu as accompli pour moi. Tu as illuminé mon âme et, à présent, je baigne dans la lumière. La lumière de ton amour…

Paige se jeta à son cou pour l'embrasser passionnément.

— Si tu savais comme je t'aime !

— Moi aussi, je t'aime, ma chérie. Pour moi, tu es la femme idéale, la perfection incarnée.

— Même quand je te couvre de paillettes ?

— Oui ! Je me demande si ce n'est pas ce qui me séduit

le plus chez toi. J'adore que tu emplisses ma vie d'éclat et de couleurs.

— Et… d'un bébé ?

— D'un bébé, bien sûr. Lui, c'est la cerise sur le gâteau. Je veux être non seulement ton mari pour la vie, mais un père pour Ana. Son vrai père. J'ai mis un temps fou à le réaliser, mais Don Colson a été pour moi une image de père fantastique, exemplaire, et je veux incarner la même chose aux yeux d'Ana. Je veux la guider, la soutenir et l'aimer. Même si j'ai une peur bleue de l'échec, je suis déterminé à tout faire pour y arriver.

— Et si elle veut devenir une artiste bohème comme sa mère ?

— Qu'à cela ne tienne ! Je lui construirai un atelier.

— Et si elle veut être président-directeur général, comme son père ?

— Aucun problème. Elle pourra le faire. Cette petite est capable de tout.

— C'est aussi mon impression, renchérit Paige, emplie de bonheur.

— J'espère surtout être capable de lui enseigner à quoi ressemble l'amour au quotidien, reprit Dante, ému. En l'aimant comme un père doit aimer sa fille. Et en aimant sa mère ma vie durant, pour lui montrer à quoi doit ressembler l'amour entre un mari et son épouse.

Epilogue

Ana commença à marcher à quatre pattes le jour où l'adoption fut conclue.

— Tu as vu, elle ne tient pas en place, dit Paige.

Dante observa la petite qui se balançait d'avant en arrière sur les mains et les genoux. Comme elle fonçait droit sur la table basse, il évita la collision de justesse en la soulevant dans ses bras.

— Hé, *stellina* ! Attention à ta tête.

Ana était devenue sa petite étoile, non seulement parce qu'elle et sa maman constituaient le centre de son univers, mais parce qu'elle avait su guérir une grande part de son chagrin.

Alors qu'il s'était promis de lui apprendre ce qu'était l'amour, c'était l'enfant qui était devenue son professeur.

— Avant que tu aies le temps de te retourner, les garçons vont lui courir après, observa Paige avec un sourire malicieux.

— Pitié ! Je refuse de penser aussi loin, répliqua-t-il, le sourcil froncé.

— Pourquoi ? Tu as peur qu'un bel Italien lui tourne la tête ?

— Oui.

— Alors surveille de près ces jolis cœurs, s'esclaffa-t-elle. Parce que moi, j'aurais dû me méfier. Je suis follement amoureuse de celui que j'ai épousé.

Elle les enlaça tous les deux pour embrasser la joue de Dante.

— Tu as des regrets ? demanda-t-il, juste pour avoir le plaisir de l'entendre dire qu'il n'en était rien.

— Pas du tout. Pas une seconde. Il n'empêche qu'il y a une chose que j'aurai du mal à expliquer à cette demoiselle.

— Quoi donc ? Pourquoi toi et moi restons enfermés à clé dans notre chambre pendant des heures ?

— Euh, non, ça, je n'ai pas vraiment l'intention de le lui expliquer. C'est autre chose que j'avais en tête.

— On peut savoir quoi ?

— Je me demande comment lui expliquer que c'est un mensonge qui a provoqué la meilleure chose qui me soit jamais arrivée...

collection *Azur*

Ne manquez pas, dès le 1er mars

LA MARIÉE INSOUMISE, *Michelle Smart* • N°3445

Mariage Arrangé

Quand elle a accepté d'épouser Nicolaï Baranski, un an plus tôt, Rosa savait qu'il ne s'agissait que d'un mariage de convenance. Mais aujourd'hui, au regard de la souffrance qu'elle ressent face à l'indifférence et à la froideur que lui témoigne Nicolaï, elle est bien forcée de s'avouer que pour elle, ce mariage signifie désormais beaucoup plus. Si elle ne veut pas continuer à souffrir ainsi, quelle autre solution a-t-elle que de rompre leur union et de fuir loin de lui ? Mais quand elle lui annonce sa décision, Nicolaï, à sa grande surprise, lui oppose un refus brutal. Et très vite, Rosa comprend, paniquée, qu'il est bien décidé à utiliser tous les moyens possibles – de la séduction à la menace – pour la forcer à rester fidèle à son engagement...

UN TÊTE-À-TÊTE SI TROUBLANT, *Catherine George*• N°3446

Une interview exclusive d'Alexei Drakos ? Eleanor n'en revient pas : c'est la chance de sa vie, la chance qui pourra lancer sa carrière de journaliste ! Ce mystérieux milliardaire, dont tout le monde rêve de connaître la vie, n'est-il pas réputé pour le secret dont il s'entoure ? Aussi, lorsqu'Alexei exige qu'elle séjourne avec lui quelques jours sur son île privée de la mer Egée, le temps pour elle de rédiger son article — et pour lui de s'assurer qu'elle n'y dévoilera rien contre sa volonté —, Eleanor n'hésite guère avant d'accepter. Même si cela signifie vivre dans une troublante intimité avec cet homme dont elle ne sait presque rien mais qui éveille en elle des sentiments inconnus...

UN SI PRÉCIEUX SECRET, *Cathy Williams* • N°3447

Enfant Secret

Convoquée de toute urgence par le P-DG de la multinationale dans laquelle elle vient d'être engagée, Alex sent l'inquiétude l'envahir. Pourvu qu'elle n'ait pas commis d'erreur, elle a tant besoin de ce travail... Mais à peine pénètre-t-elle dans l'immense bureau de Gabriel Cruz, que son inquiétude se change en stupeur. Comment aurait-elle pu imaginer que son tout puissant patron et le simple employé d'hôtel avec lequel elle a vécu une aventure passionnée cinq ans plus tôt, n'étaient qu'une seule et même personne ? Paniquée, Alex n'a plus qu'une idée en tête : fuir. Et tant pis pour le poste de ses rêves ! Car elle ne peut prendre le risque que Gabriel découvre le secret qu'elle a si précieusement gardé pendant toutes ces années...

UN SÉDUCTEUR POUR AMANT, *Mira Lyn Kelly* • N°3448

Lorsqu'elle découvre que le bel inconnu entre les bras duquel elle vient de vivre l'expérience la plus éblouissante de sa vie n'est autre que Garrett Carter, le frère de sa meilleure amie — un homme dont la réputation de Don Juan invétéré n'est plus à faire —, Nicole sent la panique l'envahir. Cette unique nuit de passion était censée lui permettre, à elle d'ordinaire si sérieuse, de découvrir les délices de l'amour sans engagement, certainement pas de tomber dans les filets d'un impitoyable séducteur ! Si Garrett est expert dans l'art des relations éphémères, ce n'est certainement pas son cas à elle, et elle est bien décidée à garder ses distances la prochaine fois qu'ils se croiseront – ce qui ne peut manquer d'arriver...

LA MAÎTRESSE D'ANTONIO ROSSI, *Susanna Carr* • N°3449

« Bonjour Bella ». Cette voix chaude et vibrante... Impossible ! Et pourtant, c'est bien lui : Bella reconnaîtrait la voix d'Antonio Rossi - et sa stature athlétique - entre mille. Mais que fait cet homme, qui l'a si cruellement rejetée quelques semaines plus tôt, ici, dans le café délabré où elle a dû se résoudre à travailler comme serveuse ? Que peut-il avoir à lui dire, lui qui avait juré, avec le plus intense mépris, que leurs chemins ne se croiseraient jamais plus ? Quelle que soit la raison de la présence d'Antonio, Bella doit absolument le convaincre de partir au plus vite, car, chaque minute passée en sa compagnie augmente le risque qu'il ne découvre son secret. Un secret qu'elle ne peut en aucun cas lui révéler...

LE SOUFFLE DU DÉSIR, *Susan Stephens* • N°3450

Quand elle apprend que Hebers Ghyll, le refuge de son enfance, est sur le point d'être détruit, Bronte sent la colère l'envahir. Pour empêcher cette catastrophe, elle est prête à tout. Et même à affronter Heath Stamp s'il le faut. Heath, son amour secret d'adolescence, l'homme qui alimentait ses rêves les plus fous... et entre les mains duquel réside aujourd'hui le sort de ce domaine qu'elle aime tant, et dont il vient d'hériter. Mais c'est compter sans le désir qu'elle éprouve aussitôt devant Heath, qui n'a plus rien de l'adolescent rebelle dont elle est jadis tombée éperdument amoureuse.... Comment, dans ses conditions, se concentrer sur son travail, et le convaincre qu'elle peut sauver Hebers Ghyll ?

A LA MERCI DU CHEIKH, *Sandra Marton* • N°3451

Karim al Safir ! Lorsqu'elle découvre l'identité de l'homme qui vient de faire irruption chez elle, Rachel comprend que le jour qu'elle redoutait tant depuis que sa sœur a disparu en lui abandonnant son nouveau né, le petit Ethan, est arrivé. Si le puissant cheikh d'Alcantar, l'oncle d'Ethan, réclame la garde du bébé, comment pourra-t-elle lutter face à tout son argent et tout son pouvoir ? Mais quand Rachel comprend que le cheikh la prend pour la mère d'Ethan - et la maîtresse de son défunt frère -, un fol espoir l'envahit : si elle ne le détrompe pas, peut-être lui laissera-t-il l'enfant ? Hélas, sous le regard brûlant et pénétrant du cheikh, Rachel devine que ce mensonge va être terriblement difficile à préserver...

FIANCÉE SUR CONTRAT, Maggie Cox • N°3452

Pour éviter à son père la ruine et le déshonneur, Natalie se voit contrainte d'accepter l'odieuse proposition de Ludovic Petrakis, l'homme qui s'apprête à racheter l'entreprise familiale pour une bouchée de pain. Il augmentera son offre de rachat de moitié, à condition qu'elle l'accompagne en Grèce et joue le rôle de sa fiancée auprès de ses parents vieillissants, si pressés de le voir fonder une famille. Si un tel mensonge la révolte, Natalie n'a d'autre choix que de se plier aux exigences de cet impitoyable milliardaire. Mais, bientôt, elle sent une sourde angoisse l'envahir. Ne prend-elle pas un risque insensé en acceptant de jouer la comédie de l'amour avec Ludovic Petrakis ? Car, malgré elle, elle se sent terriblement attirée par cet homme qui vient pourtant de lui prouver qu'il était, quant à lui, dépourvu de cœur...

IRRÉSISTIBLE TENTATION, Kate Hewitt • N°3453

- Le destin des Bryant - 3ème partie

« Même un grand businessman peut éviter d'envoyer des sms pendant la cérémonie de mariage de son frère, Monsieur Bryant… » Aaron est furieux. Comment cette femme a-t-elle osé lui *confisquer* son téléphone portable ? Il y a bien longtemps qu'il ne reçoit plus d'ordres de personne, et il n'a pas de temps à perdre avec Zoe Parker et ses provocations. D'ailleurs, elle n'est même pas son genre, trop mince, trop délicate… Oui, mais une irrésistible lueur de défi brille aussi dans le regard de la jeune femme. Et s'il y a bien une chose à laquelle Aaron n'a jamais su résister, c'est à l'appel du défi. Quelle plus belle victoire que d'effacer le sourire moqueur qui flotte sur les lèvres de Zoe Parker, et de changer les critiques qui jaillissent de ses lèvres pulpeuses en gémissements de plaisir ?

UNE NUIT AVEC SON ENNEMI, Jacqueline Baird • N°3454

Beth est effondrée. Jamais elle n'aurait imaginé, lorsqu'elle a cédé à la passion que lui inspire, en dépit de toute raison, l'impitoyable - et terriblement séduisant - Dante Cannavarro, que ce court instant de félicité bouleverserait sa vie à tout jamais. Pourtant, le doute n'est pas permis : aujourd'hui, elle porte son enfant. Et si elle aime déjà de tout son cœur ce petit être qui grandit en elle, elle ne se fait aucune illusion : Dante a beau vouloir assumer son rôle de père, il ne voit en elle qu'une aventurière sans scrupules. Comment, dans ces conditions, pourrait-elle envisager de lier son destin à celui de cet homme dont le mépris la blesse beaucoup plus qu'elle ne le voudrait ?

Attention, numérotation des livres différente
pour le Canada : numéros 1872 à 1881.

www.harlequin.fr

Composé et édité par les

éditions **HARLEQUIN**

Achevé d'imprimer en janvier 2014

La Flèche
Dépôt légal : février 2014

Imprimé en France